방탄리더사관학교

BULLETPROOF LEADER MILITARY ACADEMY

리더는 누구나 되지만
방탄 리더는 아무나 될 수 없다!

— BLMA —

방탄리더사관학교

BULLETPROOF LEADER MILITARY ACADEMY

만나서 반갑습니다!
좋은 일이 생길 거예요!
가슴이 설레는 만남이 아니어도 좋습니다.
가슴이 떨리는 운명적인
만남이 아니어도 좋습니다.
만남 자체가 소중하니까요!
최보규 방탄리더사관학교 창시자

방탄리더사관학교 소개

세상에는 4대 사관학교가 있다. 육군사관학교, 해군사관학교, 공군사관학교, 방탄리더사관학교가 있다. 육군사관학교, 해군사관학교, 공군사관학교는 체계적인 시스템 속에서 군인정신 학습, 연습, 훈련을 통해 정예 장교(군 리더, 군사 전문가)를 육성하는 사관학교다.

방탄리더사관학교는 체계적인 시스템 속에서 방탄 리더십 25가지 시스템 학습, 연습, 훈련을 통해 정예 리더(방탄 리더, 방탄 리더십 전문가)를 양성하는 사관학교다.

누구나 리더가 된다. 하지만 방탄 리더는 아무나 될 수 없다. 누구나 방탄 리더가 될 수 있었다면 난 절대로 방탄리더사관학교를 선택하지 않았을 것이다.

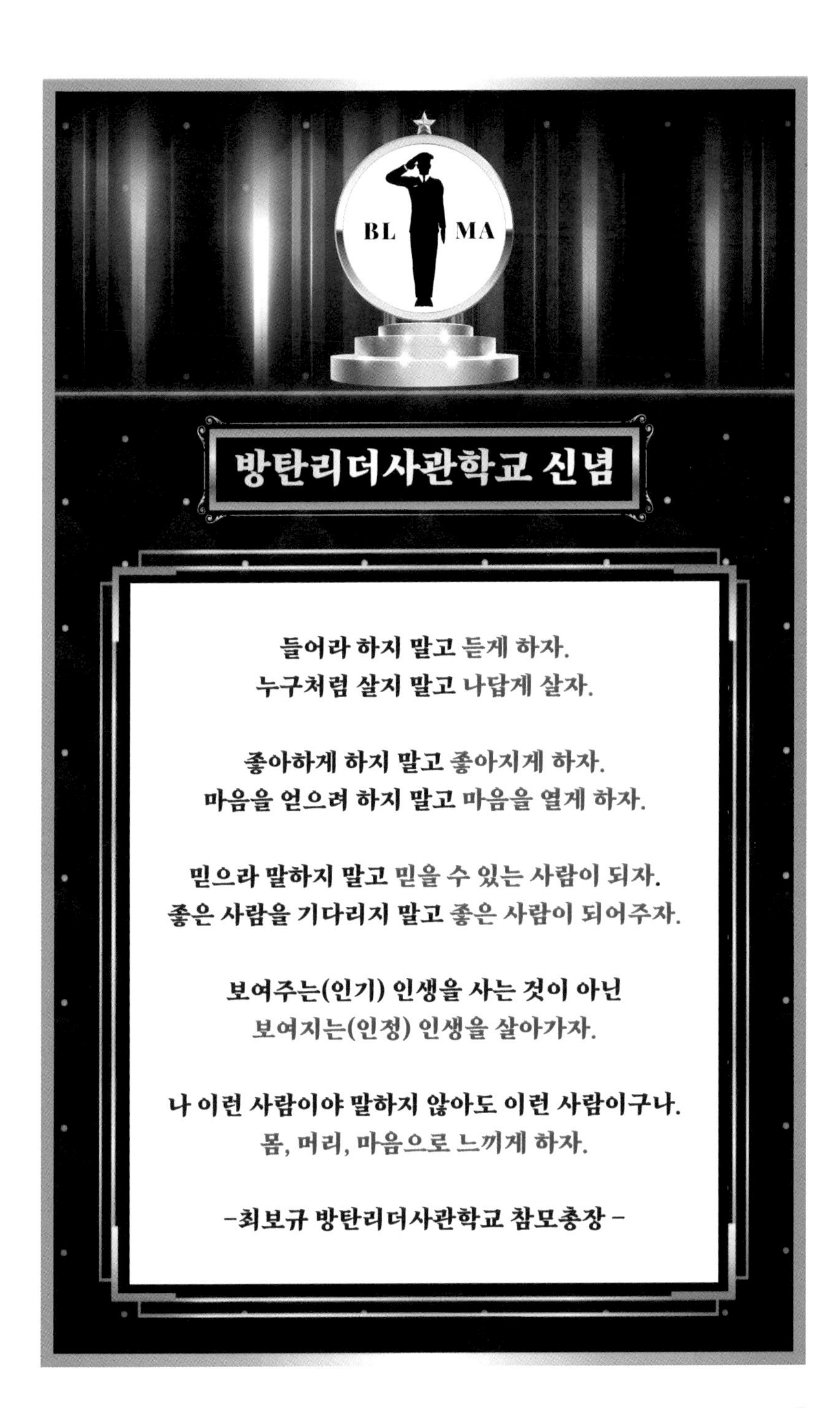
BL MA
방탄리더사관학교 신념
들어라 하지 말고 듣게 하자.
누구처럼 살지 말고 나답게 살자.
좋아하게 하지 말고 좋아지게 하자.
마음을 얻으려 하지 말고 마음을 열게 하자.
믿으라 말하지 말고 믿을 수 있는 사람이 되자.
좋은 사람을 기다리지 말고 좋은 사람이 되어주자.
보여주는(인기) 인생을 사는 것이 아닌
보여지는(인정) 인생을 살아가자.
나 이런 사람이야 말하지 않아도 이런 사람이구나.
몸, 머리, 마음으로 느끼게 하자.
-최보규 방탄리더사관학교 참모총장 -

BL
MA
방탄리더사관학교 교훈
잘난 리더보다는
진실한 방탄 리더가 되겠습니다.
대단한 리더보다는
좋은 방탄 리더가 되겠습니다.
멋진 리더보다는
따뜻한 방탄 리더가 되겠습니다.
유명한 리더보다는
필요한 방탄 리더가 되겠습니다.
사람만 좋은 리더보다는
삼성(진정성, 전문성, 신뢰성)리더십이 나오는
방탄 리더가 되겠습니다.
-최보규 방탄리더사관학교 참모총장-

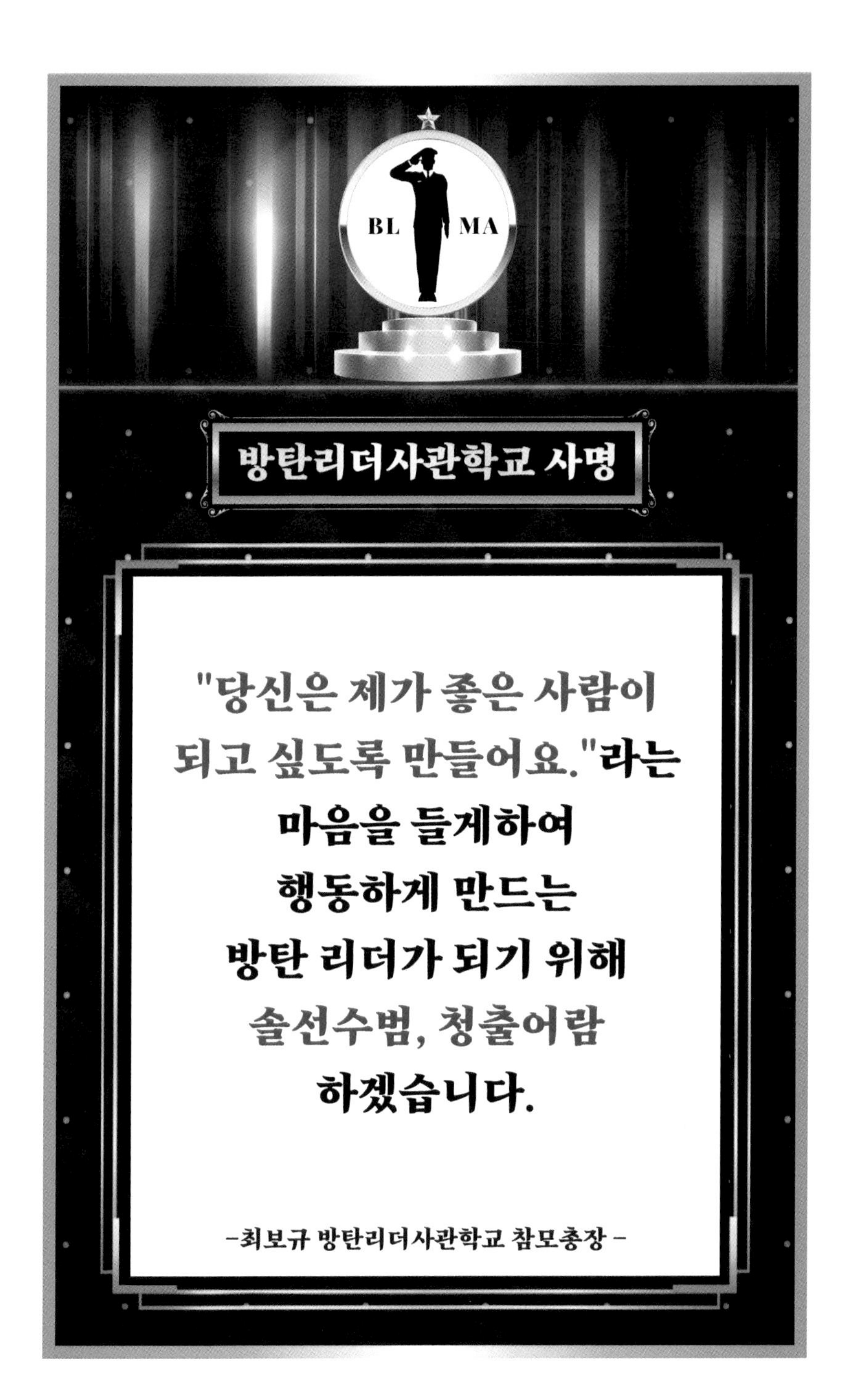
BL
MA
방탄리더사관학교 사명
"당신은 제가 좋은 사람이
되고 싶도록 만들어요."라는
마음을 들게하여
행동하게 만드는
방탄 리더가 되기 위해
솔선수범, 청출어람
하겠습니다.
-최보규 방탄리더사관학교 참모총장-

방탄리더사관학교

BULLETPROOF LEADER MILITARY ACADEMY

방탄 리더십과

리더 사명감과	리더 기본기과	리더 태도과
리더십 식스펙(PT)과	리더 감정컨트롤과	리더 인간관계과
리더 소통과	리더 스토리텔링과	리더 스피치과
리더십 은퇴 준비과	리더 천재일우과	리더 7대 의무교육과
리더 자존감과	리더 멘탈과	리더 습관과
리더 행복과	리더 자기계발, 동기부여과	리더 재테크과
리더 방탄book기술력과	리더 책 쓰기, 출간과	리더 유튜버과
리더 강사과	리더 코칭과	리더 인재양성과

★《방탄리더사관학교 1》★

Class 1. 방탄 리더십과

- 1명의 방탄 리더가 10만 명을 변화시키고 먹여 살린다. 리더는 사라져도 방탄 리더십은 1,000년 간다! 리더의 삼성(진정성, 전문성, 신뢰성)을 업그레이드!

Class 2. 리더 사명감과

- 사명감은 스펙이다. 학습, 연습, 훈련으로 만들어진다.

Class 3. 리더 기본기과

- 리더의 Body(몸) 기본기, Head(머리) 기본기, Mind(마음) 기본기. 기본기는 그림자와 같다. 평생 함께한다.

Class 4. 리더 태도과

- 세상에서 가장 강력한 태도 스펙! 태도 스펙 학습, 연습, 훈련!

Class 5. 리더십 식스팩(PT)과

- 숨만 쉬어도 근손실(근육 손실), 숨만 쉬어도 리손실(리더십 손실) 앞서가는 리더는 리더십PT를 받는다.

Class 6. 리더 감정컨트롤과

- 리더의 감정이 태도가 되면 안 된다. 감정컨트롤 학습, 연습, 훈련

Class 7. 리더 인간관계과

- 리더는 천재지변 인간관계가 아닌 천재일우 인간관계를 해야 한다.

Class 8. 리더 소통과

- 소통에 답이 있는가? 정답은 답이 아니다. 해결책도 답이 아니다. 공감만이 답이다. 공감력을 키우는 방탄 소통.

Class 9. 리더 스토리텔링과

- 리더에 스토리텔링(Storytelling)으로 함께 하는 사람을 스토리두잉(Story Doing)하게 만들어야 한다.

스토리텔링을 통해 스토리두잉(Story Doing)을 하지 않으면 스토리는 다 쓰레기 된다!

Class 10. 리더 스피치과

- Body(몸) 스피치, Head(머리) 스피치, Mind(마음) 스피치 학습, 연습, 훈련하는 방법 381가지!

Class 11. 리더 은퇴 준비과

- 평균 희망 은퇴 73세, 현실 은퇴49세 이다. 20대 은퇴 예정자? 30대 은퇴 확정자? 40대 은퇴 위험군? 은퇴십 골든타임!

★《방탄리더사관학교 3》★

Class 12. 리더 천재일우과

- 천재일우(千載一遇): 천 년에 한 번 만난다는 뜻으로 좀처럼 만나기 어려운 기회

★《방탄리더사관학교 4》★

Class 13. 리더 7대 의무교육과

- 직원은 5대 법정의무교육이 필수이고 리더는 7대 의무교육이 필수이다.

Class 14. 리더 자존감과

- 스마트폰은 쓰지 않아도 배터리가 소모되듯 리더 자존감 배터리는 숨만 쉬어도 소모된다. 리더 자존감 초고속 충전!

Class 15. 리더 멘탈과

- 리더 멘탈 7단계! 리더 순두부 멘탈, 리더 실버 멘탈, 리더 골드 멘탈, 리더 에메랄드 멘탈, 리더 다이아몬드 멘탈, 리더 블루다이아몬드 멘탈, 리더 방탄 멘탈.

★《방탄리더사관학교 5》★

Class 16. 리더 습관과

- 리더십은 이벤트가 아니라 습관이다. 리더십 습관, 꼰대십 습관

Class 17. 리더 행복과

- 리더 행복 심폐소생술! 리더 행복 초등학생, 리더 행복 중학생, 리더 행복 고등학생, 리더 행복 전문 학사, 리더 행복 학사, 리더 행복 석사, 리더 행복 박사, 리더 행복 히어로

★《방탄리더사관학교 6》★

Class 18. 리더 자기계발, 동기부여과

- 리더는 노오력 자기계발, 동기부여가 아닌 올바른 노력 자기계발, 동기부여를 해야 한다.

Class 19. 리더 재테크과

- 리더의 7가지 재테크는 선택이 아닌 필수다.

★《방탄리더사관학교 7》★

Class 20. 리더 방탄book기술력과

- 수입 창출 6가지 시스템! 100세까지 지속적인 수입을 발생시키고 100세까지 현역을 유지시켜 준다.

Class 21. 리더 책 쓰기, 출간과

- 리더 자신 분야 삼성(진정성, 전문성, 신뢰성)을 올리

는 최고의 자기계발은 책 쓰기, 책 출간이다!

★《방탄리더사관학교 8》★

Class 22. 리더 유튜버과

- 리더는 유튜브가 아닌 나튜브를 해야 한다.

★《방탄리더사관학교 9》★

Class 23. 리더 강사과(무인 시스템)

- 리더는 프로 강사처럼 말(스피치), 표정, 행동이 나와야 한다.

★《방탄리더사관학교 10》★

Class 24. 리더 코칭과

- 리더 코칭 10계명(품위유지의무), 리더의 0순위 스펙은 코칭 능력이다.

Class 25. 리더 인재 양성과

- 인재는 오는 것이 아니라 만들어지는 것이다. 인재 양성 시스템이 없으면 인재는 리더를 떠나지만 인재양성 시스템이 있으면 인재는 리더와 100년을 함께 한다.

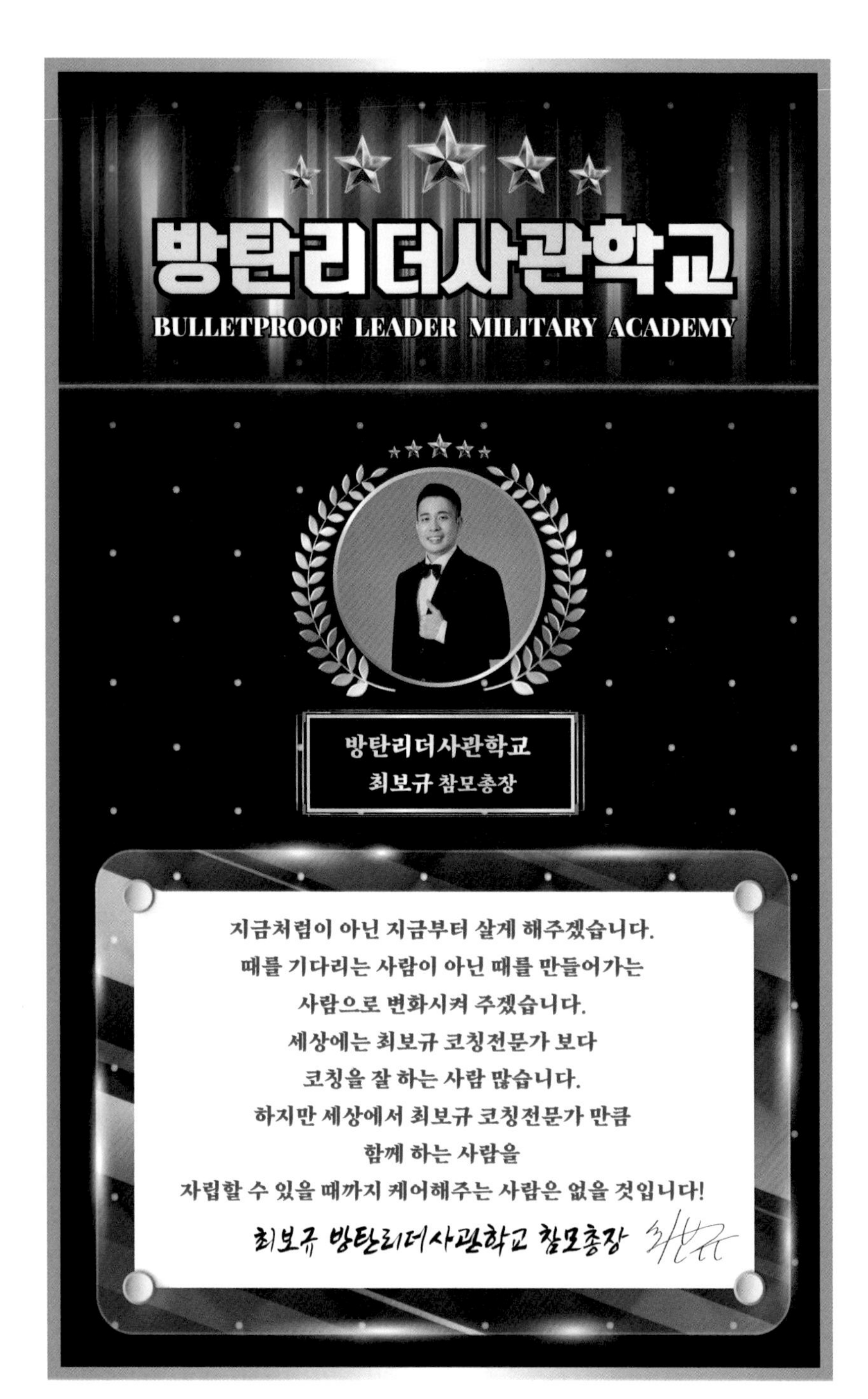
방탄리더사관학교
BULLETPROOF LEADER MILITARY ACADEMY
방탄리더사관학교
최보규 참모총장
지금처럼이 아닌 지금부터 살게 해주겠습니다.
때를 기다리는 사람이 아닌 때를 만들어가는
사람으로 변화시켜 주겠습니다.
세상에는 최보규 코칭전문가 보다
코칭을 잘 하는 사람 많습니다.
하지만 세상에서 최보규 코칭전문가 만큼
함께 하는 사람을
자립할 수 있을 때까지 케어해주는 사람은 없을 것입니다!
최보규 방탄리더사관학교 참모총장

ONLY ONE
"80억 분의 1 검증된 전문가"
특허청 등록
최보규 자기계발코칭 창시자
등록 번호: 제 40-2072344 호
최보규 대표
상담, PT, 코칭, 강의, 컨설팅 문의
010-6578-8295
특허청 등록
최보규 리더동기부여 코칭전문가
등록 번호: 제 40-2128786 호
대한민국 강사 섭외 NO1 '강사야'
'강사야' "대표 일타 강사 최보규"
GANGSAYA
강사섭외
최보규
로그인
회원가입
전체분야
강사프로필
섭외문의
분야별특강
커뮤니티
추천강사
섭외문의무료등록
최보규강사
특허청 등록으로 검증된 강사!
방탄 동기부여/리더십/자기계발
동기부여/리더십/자기계발 업데이트!
저서 100권의 내공을 통한 세계 최초 1+4를 주는 가성비 강사!
(강의메세지+즐거움+스토리텔링+실천 사용 설명서 제공)
Google 자기계발아마존
YouTube 방탄자기계발
NAVER 강사야
NAVER 최보규

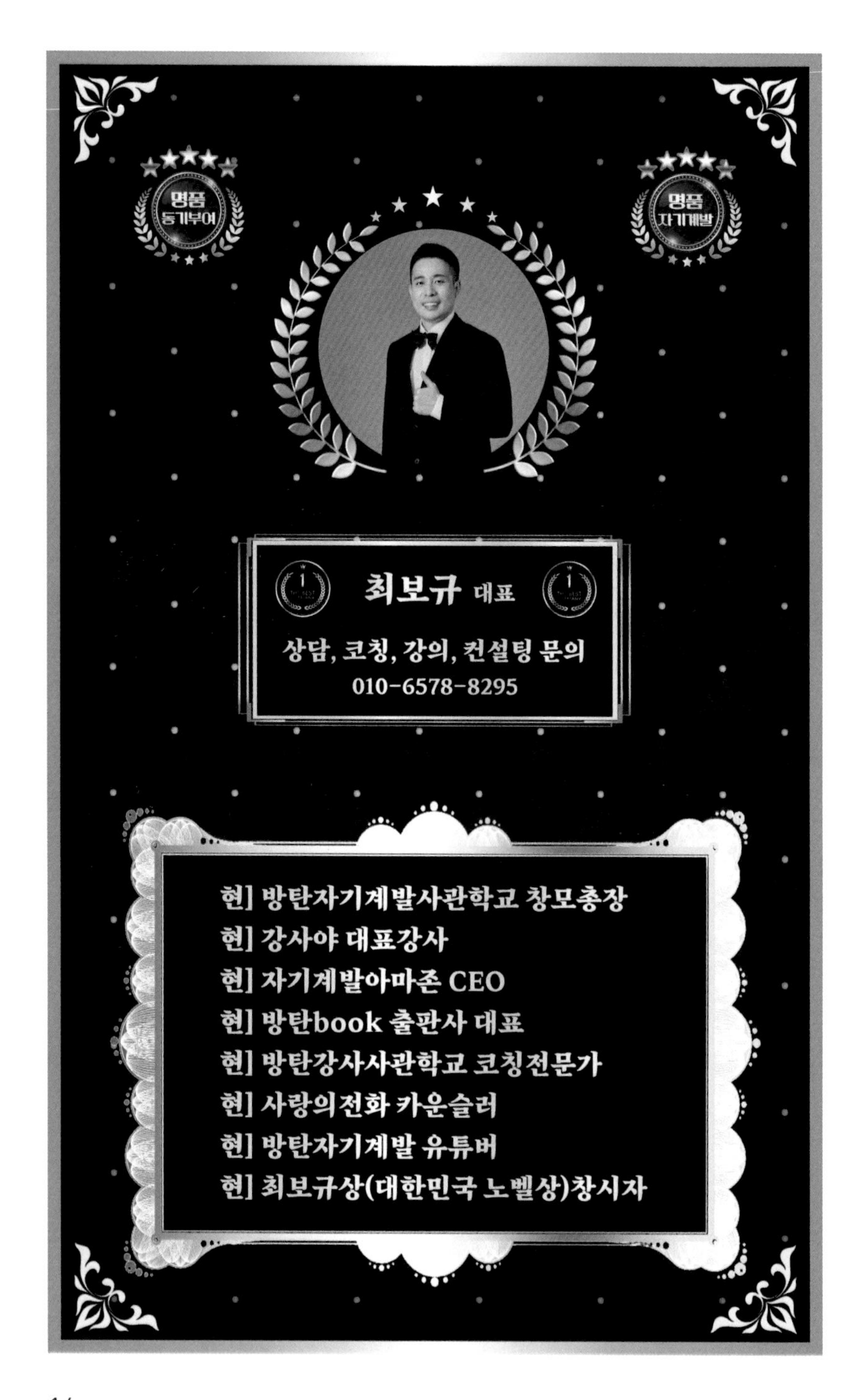
명품
동기부여
명품
자기계발
최보규 대표
상담, 코칭, 강의, 컨설팅 문의
010-6578-8295
현] 방탄자기계발사관학교 창모총장
현] 강사야 대표강사
현] 자기계발아마존 CEO
현] 방탄book 출판사 대표
현] 방탄강사사관학교 코칭전문가
현] 사랑의전화 카운슬러
현] 방탄자기계발 유튜버
현] 최보규상(대한민국 노벨상)창시자

방 탄
동기부여
명품
동기부여
명품
자기계발
책150권 출간
상담 17,000회
COACHING
코칭 13,000회
강의 경력 6,200회
Google 자기계발아마존
YouTube 방탄자기계발
NAVER 방탄자기계발사관학교
NAVER 최보규
N 최보규
네이버 인물정보 등록 34만 명! (2016년 기준)
대한민국 1% 미만 "네이버 명예의 전당" 인물정보 등록!
전체
프로필
최근활동
도서
프로필
소속 방탄자기계발사관학교/방탄북(BOOK)출판사(대표)
수상 2016년 제1회 세계를 빛낸 천사상 대상
경력 방탄자기계발사관학교/방탄북(BOOK)출판사 대표
방탄자기계발사관학교 대표
2012.05~2016.06 사랑의전화 전화상담 자원봉사자
2014.11 행복사관학교 대표
사이트 유튜브, 블로그, 네이버TV, 페이스북, 공식홈페이지
작품 ★ 도서 108건, 관련활동

자기계발서 150권, 전자책 250권 출간으로
삼성(진정성, 전문성, 신뢰성)이 검증된 전문가
Google 자기계발아마존
YouTube 방탄자기계발
NAVER 방탄자기계발사관학교
NAVER 최보규

종이책 150권, 전자책 250권
총 400권 무인 콘텐츠

24시간 무인 시스템

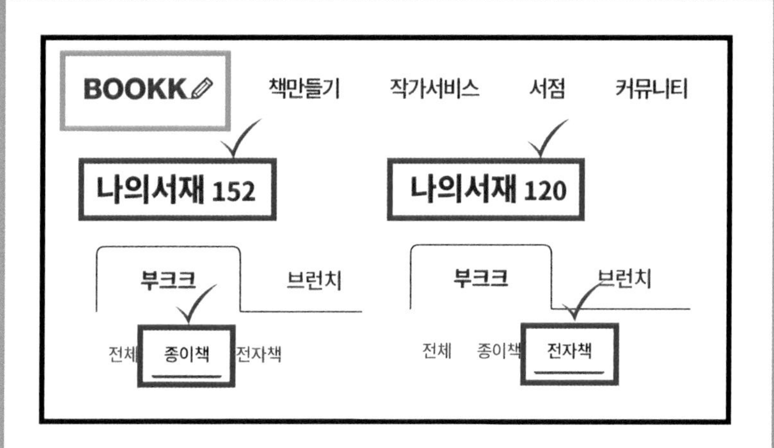

이번 생에 건물주는 힘들어도
온라인 건물주는 가능하다!
400층 온라인 건물주를 가능하게 만든 시스템!

방탄book기술력

방탄자기계발사관학교
홈페이지 무인시스템
구독하기
방탄
자기계발
사관학교
방탄자기계발사관학교
www.방탄자기계발사관학교.com
정예 방탄자기계발 전문가를 양성하는 사관학교
특허청 등록
최보규 자기계발코칭 창시자
등록 번호: 제 40-2072344 호
특허청 등록
최보규 리더동기부여 코칭전문가
등록 번호: 제 40-2128786호
방탄자기계발사관학교
아무나 방탄자기계발전문가가 될 수 있었다면 난 절대로 방탄자기계발사관학교를 선택하지 않았을 것이다.
Google 자기계발아마존
YouTube 방탄자기계발
NAVER 방탄자기계발사관학교
NAVER 최보규

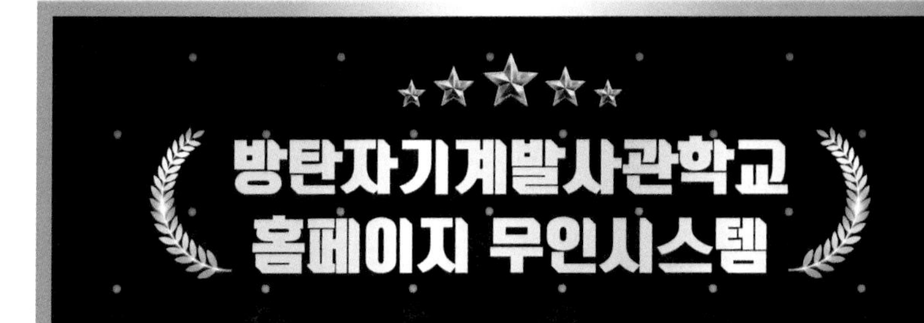

방탄자기계발사관학교 소개
1,000,000원
구매하기

PPT로 책 쓰기, 책 출간
200,000원
구매하기

자신 분야 6가지 수입을 창출 방법
200,000원
구매하기

방탄 사랑 사랑 사용 설명서 사랑도 스펙이다
200,000원
구매하기

Google 자기계발아마존 | YouTube 방탄자기계발 | NAVER 방탄자기계발사관학교 | NAVER 최보규

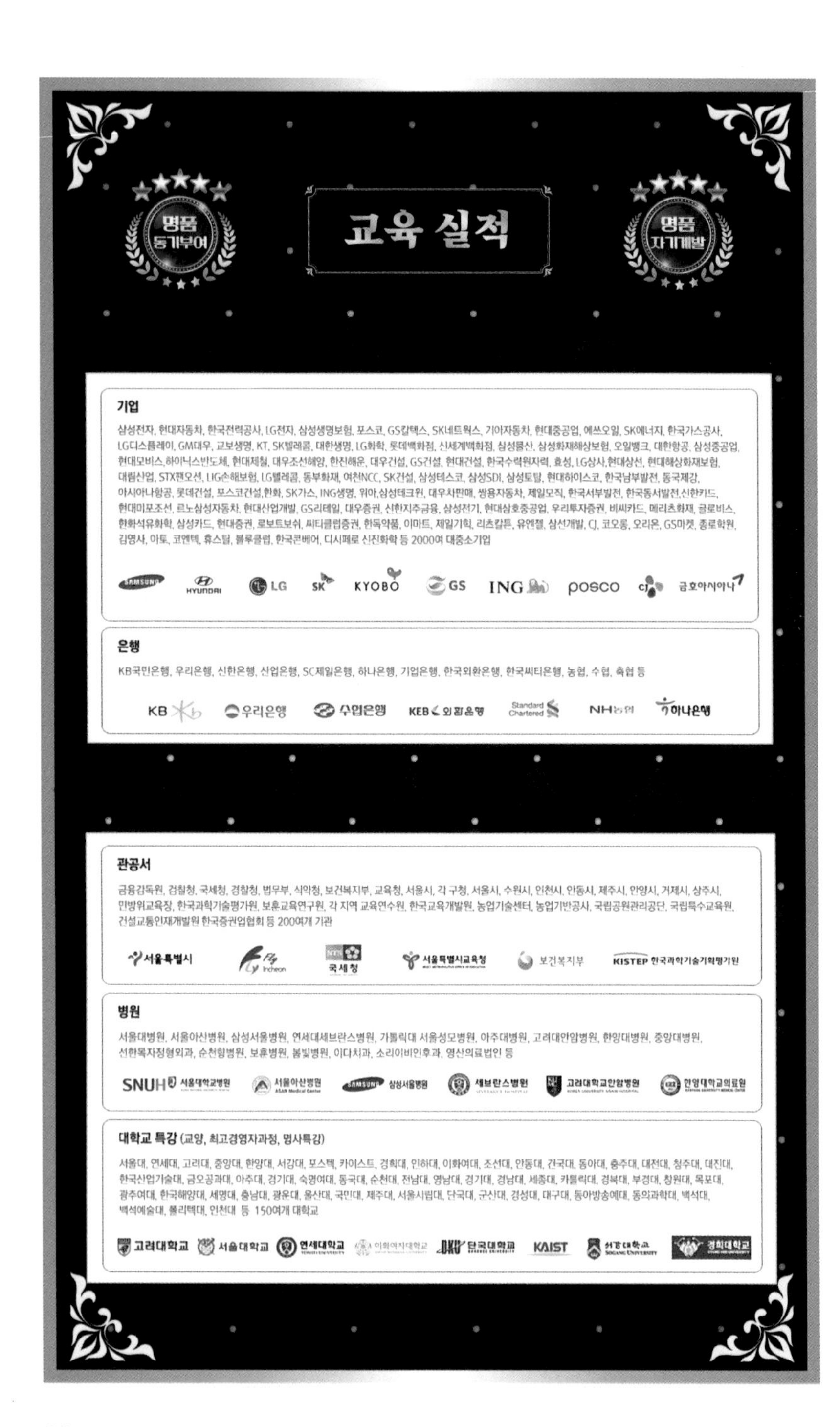

명품 동기부여
교육 실적
명품 자기계발
기업
삼성전자, 현대자동차, 한국전력공사, LG전자, 삼성생명보험, 포스코, GS칼텍스, SK네트웍스, 기아자동차, 현대중공업, 에쓰오일, SK에너지, 한국가스공사, LG디스플레이, GM대우, 교보생명, KT, SK텔레콤, 대한생명, LG화학, 롯데백화점, 신세계백화점, 삼성물산, 삼성화재해상보험, 오일뱅크, 대한항공, 삼성중공업, 현대모비스,하이닉스반도체, 현대제철, 대우조선해양, 한진해운, 대우건설, GS건설, 현대건설, 한국수력원자력, 효성, LG상사,현대상선, 현대해상화재보험, 대림산업, STX팬오션, LIG손해보험, LG텔레콤, 동부화재, 여천NCC, SK건설, 삼성테스코, 삼성SDI, 삼성토탈, 현대하이스코, 한국남부발전, 동국제강, 아시아나항공, 롯데건설, 포스코건설,한화, SK가스, ING생명, 위아,삼성테크윈, 대우차판매, 쌍용자동차, 제일모직, 한국서부발전, 한국동서발전,신한카드, 현대미포조선, 르노삼성자동차, 현대산업개발, GS리테일, 대우증권, 신한지주금융, 삼성전기, 현대삼호중공업, 우리투자증권, 비씨카드, 메리츠화재, 글로비스, 한화석유화학, 삼성카드, 현대증권, 로보트보쉬, 씨티클럽증권, 한독약품, 이마트, 제일기획, 리츠칼튼, 유엔젤, 삼선개발, CJ, 코오롱, 오리온, GS마켓, 종로학원, 김영사, 아토, 코엔텍, 휴스틸, 블루클럽, 한국콘베어, 디시페로 신진화학 등 2000여 대중소기업
SAMSUNG
HYUNDAI
LG
SK
KYOBO
GS
ING
posco
CJ
금호아시아나
은행
KB국민은행, 우리은행, 신한은행, 산업은행, SC제일은행, 하나은행, 기업은행, 한국외환은행, 한국씨티은행, 농협, 수협, 축협 등
KB
우리은행
수협은행
KEB 외환은행
Standard Chartered
NH농협
하나은행
관공서
금융감독원, 검찰청, 국세청, 경찰청, 법무부, 식약청, 보건복지부, 교육청, 서울시, 각 구청, 서울시, 수원시, 인천시, 안동시, 제주시, 안양시, 거제시, 상주시, 민방위교육장, 한국과학기술평가원, 보훈교육연구원, 각 지역 교육연수원, 한국교육개발원, 농업기술센터, 농업기반공사, 국립공원관리공단, 국립특수교육원, 건설교통인재개발원 한국증권업협회 등 200여개 기관
서울특별시
Fly Incheon
국세청
서울특별시교육청
보건복지부
KISTEP 한국과학기술기획평가원
병원
서울대병원, 서울아산병원, 삼성서울병원, 연세대세브란스병원, 가톨릭대 서울성모병원, 아주대병원, 고려대안암병원, 한양대병원, 중앙대병원, 선한목자정형외과, 순천향병원, 보훈병원, 봄빛병원, 이다치과, 소리이비인후과, 영산의료법인 등
SNUH 서울대학교병원
서울아산병원 ASAN Medical Center
SAMSUNG 삼성서울병원
세브란스병원
고려대학교안암병원
한양대학교의료원
대학교 특강 (교양, 최고경영자과정, 명사특강)
서울대, 연세대, 고려대, 중앙대, 한양대, 서강대, 포스텍, 카이스트, 경희대, 인하대, 이화여대, 조선대, 안동대, 건국대, 동아대, 충주대, 대전대, 청주대, 대진대, 한국산업기술대, 금오공과대, 아주대, 경기대, 숙명여대, 동국대, 순천대, 전남대, 영남대, 경기대, 경남대, 세종대, 카톨릭대, 경북대, 부경대, 창원대, 목포대, 광주여대, 한국해양대, 세명대, 충남대, 광운대, 울산대, 국민대, 제주대, 서울시립대, 단국대, 군산대, 경성대, 대구대, 동아방송예대, 동의과학대, 백석대, 백석예술대, 폴리텍대, 인천대 등 150여개 대학교
고려대학교
서울대학교
연세대학교
이화여자대학교
DKU 단국대학교
KAIST
서강대학교 SOGANG UNIVERSITY
경희대학교

명품 동기부여
강의 사진
명품 자기계발
600명 자자자자멘습긍 강의
(자존감, 자신감, 자기관리, 자기계발, 멘탈, 습관, 긍정)
500명 자자자자멘습긍 강의
(자존감, 자신감, 자기관리, 자기계발, 멘탈, 습관, 긍정)

최보규 방탄강사 창시자

저는 입으로 강의하지 않겠습니다.
제 삶으로 강의하겠습니다.
저는 가르치지 않겠습니다.
제 삶으로 가르치겠습니다.
최보규강사는 명강사, 스타강사가 아닙니다!
그래서 한 달에 15권 책을 보고 메모하며
강의 준비, 솔선수범 하고 있습니다!
최보규강사 보다 강의 잘하는 사람은 많습니다!
다만 최보규강사 만큼 학습자를
사랑하는 강사는 세상에 없을 것입니다!

최보규 방탄동기부여 신조

들어라 하지 말고 듣게 하자.
누구처럼 살지 말고 나답게 살자.
좋아하게 하지 말고 좋아지게 하자.
마음을 얻으려 하지 말고 마음을 열게 하자.
믿으라 말하지 말고 믿을 수 있는 사람이 되자.
좋은 사람을 기다리지 말고 좋은 사람이 되어주자.
보여주는(인기) 인생을 사는 것이 아닌
보여지는(인정) 인생을 살아가자.
나 이런 사람이야 말하지 않아도
이런 사람이구나 몸, 머리, 마음으로 느끼게 하자.

명품
동기부여
명품
자기계발
경력은 실력이 아닙니다! 최보규 강사는 경력만으로 강의하지 않습니다!
책을 읽고 메모하며 책을 출간 했다고 강의 내공이 좋은 건 아닙니다!
하지만 책 2,032권, 메모 7,626개, 습관 320가지, 책 100권 출간 내공으로
강의하는 강사에 강의 내공은 단언컨대 "세계 최고"일 것입니다!
KYOBO
최보규님의 서재
책장 (전체 2032)
기본책장 (2028)
나다운강사1,2 (1)
나다운 방탄멘탈 (1)
행복히어로1 (1)
행복히어로2 (1)
NAVER 메모
새 메모 쓰기
다이어리
15년 2,032권 읽음
15년 7,626개 메모
최보규
프로필
나다운
방탄습관블록
BOOKK
자기계발서 100권 출간
45년 방탄 습관 320가지

최보규 강사 11계명

1. 학습자에게 섬김을 받으려는 강의가 아닌 학습자를 섬길 수 있는 강의를 하겠습니다.
2. 오늘이 마지막 날인 것처럼 강의하고 영원히 살 것처럼 학습자에게 배우겠습니다.
3. 강의 있는 전날에는 최상의 컨디션을 유지 하기 위해 건강관리, 목 관리, 자기관리 하겠습니다.
4. 강의장 1시간 전에 도착해서 강의 마음가짐 준비하겠습니다.
5. 강의장 가장 먼저 도착 강의 끝난 후 가장 늦게 나오겠습니다.
6. 내 삶이 강의고 강의가 내 삶이 되도록 행동하겠습니다.
7. 힘들게 배운 강의 노하우들 아낌없이 주겠습니다.
8. 어떻게 하면 학습자에게 즐거움? 행복? 메시지? 감동? 희망? 사랑?을 줄 것인가에 항상 생각하며 공부하겠습니다.
9. TV보다 책을 더 보겠습니다. 10. 공인이라는 마음으로 솔선수범하겠습니다.
11. 강사의 자존심 아침에 나올 때 신발장에 넣고 나오겠습니다.

방탄강사 백신

★ 잘난 강사가 되지 않고 진실한 강사가 되겠습니다!
잘난 강사는 피하고 싶어지지만 진실한 강사는
곁에 두고 싶어집니다!

★ 대단한 강사가 되지 않고 좋은 강사가 되겠습니다!
대단한 강사는 부담을 주지만 좋은 강사는
행복을 줍니다

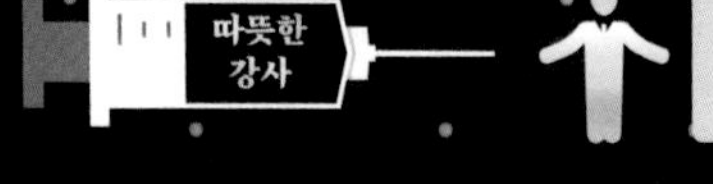

★ 멋진 강사가 되지 않고 따뜻한 강사가 되겠습니다!
멋진 강사는 눈을 즐겁게 하지만 따뜻한 강사는
마음을 데워 줍니다.

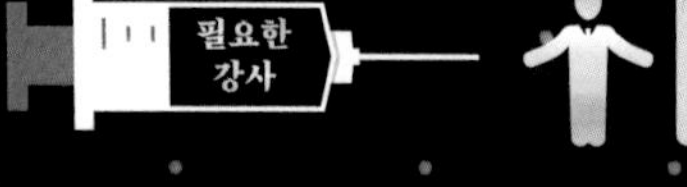

★ 유명한 강사가 되지 않고 필요한 강사가 되겠습니다!
유명한 강사는 환상을 주지만 필요한 강사는
배움, 성장, 지혜를 줍니다.

최보규 방탄동기부여 전문가
검증된 PT, 강의, 맞춤 코칭, 컨설팅
특허청 등록
최보규 자기계발코칭 창시자
등록 번호: 제 40-2072344 호
최보규 대표
010-6578-8295
특허청 등록
최보규 리더동기부여 코칭전문가
등록 번호: 제 40-2128786 호
방탄자기계발사관학교는 국가등록 민간자격증 발급 기관! 명품 인재 양성 기관!
리더십코칭전문가
동기부여코칭전문가
자기계발코칭전문가
강사코칭전문가
책쓰기코칭전문가
리더 분야
동기부여 분야
자기계발 분야
강의, 강사 분야
책쓰기, 책출간 분야
<저자 최보규>
<저자 최보규>
<저자 최보규>
<저자 최보규>
<저자 최보규>
방탄 리더십
리더 7대의무교육
리더 품위유지의무
리더 은퇴, 재테크
리더 동기부여
리더 스피치
리더 사명감, 인성
리더 기본기, 태도
리더 자존감, 멘탈
리더 습관, 행복
리더 인간관계
인재 양성 매뉴얼
리더 감정컨트롤
리더 스트레스관리
리더 라포형성기법
리더 상담기법
리더 코칭기법
리더 스토리텔링
7대 동기부여
변화,성장동기부여
비전 동기부여
열정 동기부여
사원 동기부여
임원진 동기부여
직급별 동기부여
사랑 동기부여
자존감 동기부여
자신감 동기부여
자기관리 동기부여
자기계발 동기부여
멘탈 동기부여
습관 동기부여
긍정 동기부여
인간관계 동기부여
인재양성 동기부여
행복 동기부여
7대 자기계발
변화,성장자기계발
비전 자기계발
열정 자기계발
사원 자기계발
임원진 자기계발
직급별 자기계발
사랑 자기계발
자존감 자기계발
자신감 자기계발
자기관리 자기계발
자기계발 자기계발
멘탈 자기계발
습관 자기계발
긍정 자기계발
인간관계 자기계발
인재양성 자기계발
행복 자기계발
강사 7대 의무교육
강사 인성, 매너
강사 품위유지의무
강사1~3년 차
강사료 올리기 위한 준비, 스펙 쌓기.
강사4~10년 차
강사료 올리기 위한 준비, 스펙 쌓기.
강사10~20년 차
강사료 올리기 위한 준비, 스펙 쌓기.
강사 스킬UP
강사 트레이닝
강의 스토리텔링 기법
강의 SPOT 기법
강사 양성 매뉴얼
강사 양성 시스템
책 쓰기 동기부여
책 출간 동기부여
작가 품위유지의무
책 쓰기, 책 출간 10G 매뉴얼, 시스템.
100권 출간으로 월세, 연금성 수입 창출전수.
강의 교안으로 책 쓰고 책 출간.
출간한 책으로 강의 교안 작업.
출간한 책으로 온라인, 디지털 콘텐츠 제작.
6가지 수입을 창출 하는 책 쓰기, 책 출간.
100년 지속 할 수 있는 기술력을 배우는 책 쓰기, 책 출간.
Google 자기계발아마존
YouTube 방탄자기계발
NAVER 방탄자기계발사관학교
NAVER 최보규

해보자! 해보자!
자신 가능성을 믿고!
해보자!
해보자!
자신의
사과 씨, 도토리, 포도 씨 믿으세요!
사과 씨 안에 얼마나 많은 사과가 있는지 모른다!
도토리 안에 얼마나 많은 도토리가 있는지 모른다!
포도 씨 안에 얼마나 많은 포도가 있는지 모른다!

명품 자기계발
방탄 동기부여
명품 동기부여
방탄동기부여 전문가
www.방탄자기계발사관학교.com
방탄리더 동기부여 1
BOOKS
최보규 대표
상담, 코칭, 강의, 컨설팅 문의
010-6578-8295
어제의 나는 잊어라!
살아온 날로 살아갈 날단정 짓지 말자!
자신을 못 믿겠다면 자신을 믿어주는
최보규 방탄동기부여 전문가를 믿고 시작합시다!
세상, 현실아 덤벼라!
몸, 머리, 마음을
강하게 해드립니다.!
Google 자기계발아마존
YouTube 방탄자기계발
NAVER 방탄동기부여
NAVER 최보규

명품 동기부여
명품 자기계발
최보규 대표
상담, 코칭, 강의, 컨설팅 문의
010-6578-8295
살아온 날로 살아갈 날 단정 짓지 말자!
해보자! 해보자! 지금부터 해보자!
NAVER 최보규
NAVER 방탄자기계발사관학교
YouTube 방탄자기계발
Google 자기계발아마존
자기계발, 미래 걱정과 고민은 이제 그만 하세요!
시간과 돈 낭비하지 마시고 검증된 곳에서 학습, 연습, 훈련!
150년 a/s, 피드백, 관리, 케어 받으세요!
방탄 동기부여
최보규 대표
010.6578.8295
코칭, PT, 강사, 컨설팅
nice5889@naver.com

방탄리더사관학교
BULLETPROOF LEADER MILITARY ACADEMY
BL MA
리더는 누구나 되지만
방탄리더는 아무나 될 수 없다!
BLMA
리더 필독 도서
리더 지침서
리더 사용설명서

목차

방탄리더사관학교
창시한 이유
리더는 누구나 되지만
방탄 리더는 아무나 될 수 없다!
BLMA
방탄리더사관학교
BULLETPROOF LEADER MILITARY ACADEMY
BL
MA
리더는 누구나 되지만
방탄리더는 아무나 될 수 없다!
BLMA
리더 필독 도서
리더 지침서
리더 사용설명서
BOOKK
최보규 방탄리더 참모총장

방탄리더사관학교를 창시한 이유는 세종대왕님이 한글을 창시한 이유와 같다.

세종대왕님이 한글을 창시한 이유는 한 문장으로 말을 한다면 백성을 사랑해서다.

훈민정음 서문
우리나라의 말과 소리가 중국과 달라 한자와 서로 통하지 않는다. 그러므로 어리석은 백성들이 말하고 싶은 바가 있어도 그 뜻을 펴지 못하는 이가 많다. 내가 이를 불쌍히 여겨 새로 스물여덟 자를 만드노니 사람마다 쉽게 익혀 나날이 쓰기에 편하게 하고자 할 따름이니라.

최보규 방탄리더사관학교 참모총장이 방탄리더사관학교를 만든 이유를 한 문장으로 말을 한다면 "함께 하는 사람을 사랑하고 함께 잘 되고 잘 살자"라고 할 수 있다.

지금 3고(고물가, 고금리, 고환율) 시대, AI 시대, 챗GPT 시대, 숨만 쉬어도 200만 원 ~ 300만 원이 나가는 시대, 평균 희망 은퇴 73세, 현실 은퇴 나이 49세 시대... 점점 더 힘들고 어려워지는 시대다. 지금 상황을 극복하기 위해서는 일반 리더십으로는 힘들다. 강력한 리더십이 필요하고 노오력 하는 리더가 아닌 올바른 노력을 하는 방탄 리더가 절실하게 필요한 시대다.

나쁜 개는 없다. 나쁜 견주만 있다. 견주십!
나쁜 자녀는 없다. 나쁜 부모만 있다. 부모십!
나쁜 직원은 없다. 나쁜 리더만 있다. 리더십!

모든 것은 리더십에서 시작된다는 것이다. 지금 시대는 위치가 사람을 만드는 경우보다 위치가 사람을 망치는 경우가 더 많다. 리더 위치에서 끊임없이 리더십 학습, 연습, 훈련하지 않으면 리더를 망치고 리더와 함께 하는 사람들까지 망쳐버린다. 그 무엇보다 리더십은 체계적으로 배워야 하는데 현실은 어떤가?

20,000명 심리 상담, 코칭 하면서 알게 된 것은 체계적인 시스템 없는 인스턴트 리더 책, 인스턴트 리더 교육으로 인해 건강한 리더십, 현명한 리더십이 아닌 늘 그때뿐인 인스턴트 리더십에 중독되어 리더들의 몸, 머리, 마음까지 썩고 있다는 것이다.

리더십의 본질을 알아야만 노오력이 아닌 올바른 노력

을 할 수 있다.

운동의 본질은 헬스, 운동의 기본기를 배우지 않는 사람이 좋은 헬스장으로 옮긴다고 헬스, 운동 습관이 만들어지는 것이 아니다.

직장의 본질은 월급 날짜만 기다리는 사람이 직장을 바꾼다고 일에 대한 의욕이 생기지 않는다.

사랑의 본질은 평상시에 사랑받을 행동을 안 하는 사람은 사랑하는 사람이 생겨도 사랑받을 수가 없다.

인간관계의 본질은 내가 좋은 사람이 되기 위해 학습, 연습, 훈련을 안 하면 좋은 사람이 생겨도 금방 떠나간다.

자기계발, 동기부여 본질은 "어제 보다 0.1% 나은 사람이 되자."라는 태도로 꾸준히 자기계발, 동기부여하지 않으면 시간, 돈 낭비를 한다.

리더십의 본질은 경력, 나이를 내세우면서 시대에 맞는 리더십으로 업데이트하지 않으면 리더십이 아닌 꼰대십(리더병)이 나온다. 꼰대십(리더병)이 생기면 "위치가 사람을 만드는 것이 아니라 위치가 사람을 망쳐버린다."

본질을 모르면
시간, 돈, 인생 낭비가 되어
악순환이 반복된다.
본질을 어떻게 학습, 연습, 훈련할 것인가?

헬스, 운동의 본질

직장, 일의 본질

연애, 사랑의 본질

인간관계의 본질

자기계발, 동기부여의 본질

리더십의 본질

더 늦기 전에 방탄리더사관학교 25가지 리더십의 본질인 방탄 리더 인재 양성 시스템을 통해 강력한 리더십인 방탄 리더십으로 거듭나야 된다.

방탄 리더 1명이 10만 명을 먹여 살리고 변화 시킨다.
리더는 사라져도 방탄 리더십은 1,000년 간다.
세계 최초 방탄리더사관학교 25가지 시스템 시작한다!

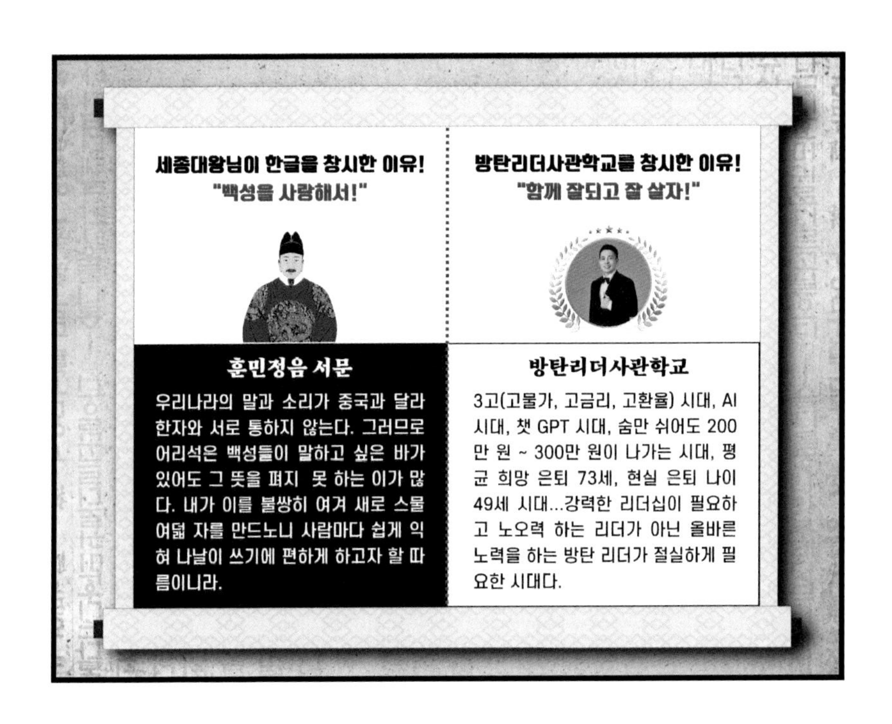

방탄리더사관학교
BULLETPROOF LEADER MILITARY ACADEMY
리더 자기계발,
동기부여과
방탄리더
1
동기부여
BOOKK
<저자 최보규>
리더는 노오력 자기계발, 동기부여가 아닌 올바른 노력 자기계발, 동기부여를 해야 한다.

Class 18. 리더 자기계발, 동기부여와

- 리더는 노오력 자기계발, 동기부여가 아닌 올바른 노력 자기계발, 동기부여를 해야 한다.

★ 리더에게 가장 무서운 말 "이 정도면 됐다."

다음은 리더라면 그 누구보다도 더 치열하게 배워야 한다는 것을 깨닫게 해주는 스토리텔링이다.

구시대적 사고에 갇힌 리더만큼 조직을 암담하게 하는 것도 없다.

나: 상무님은 어떻게 그 자리까지 오르실 수 있었어요? 그 비결을 알고 싶습니다.

임원: 음, 다른 건 없어. 난 신입 사원 때부터 임원을 목표로 열심히 일했지. 뭔가를 목표하고 노력하면 이 세상에 안 되는 일은 없다고 생각하네.

나: 그럼 지금 임원이 되셨으니까 인생의 목표를 달성하신 거네요?

임원: 그런 셈이지, 허허.

나: 임원은 임시직원이라는 말도 있는데 상무님은 앞날이 걱정 안 되시나요?

임원: 걱정이 안 된다면 그건 거짓말이지. 사실 회사에서 가장 좋을 때는 과장 때였던 것 같군.

나: 그럼, 요즘 상무님의 앞날은 어떻게 준비하고 계시나요? 가령 뭘 새롭게 배우고 있다거나…………….

임원: 뭘 하긴 해야 하는데 시간도 없고, 여유도 없고…. 뭘 배우기에는 나이도 그렇고…….

나: 앞날에 대한 대책이 없다는 말씀처럼 들리는군요.

임원: …….

실제로 어떤 기업 임원과 나눴던 대화의 일부다. 그는 유능했고, 누구보다도 성실히 일한 결과, 그 자리까지 오를 수 있었다. 그러나 높은 자리에 오른 후, 그는 모든 동력을 상실하고 열정을 잃은 듯했다. 일과 일상 모두 똑같은 하루하루의 반복이었고, 새로운 꿈이나 목표 같은 것은 찾아볼 수 없었다.

퀴즈 하나 풀고 시작해보자. 다음 중 조직에서 가장 치열하게 공부해야 하는 사람은 누구일까?

1번, 리더. 2번, 직원. 단언컨대, 정답은 1번이다. 리더는 누구보다도 중요한 의사결정을 많이 하는 사람이고, 의사결정의 내공을 높여야 하기 때문이다. 하지만 리더가 더 치열하게 공부해야 하는 이유는 따로 있다.

나이가 들수록 새로운 것을 수용하는 학습 능력이 떨어진다는 점이다.

《부하직원이 말하지 않는 31가지 진실》

일반 사람들에게는 "이 정도면 됐다." 이 말이 위로, 격려, 안심이 될 수 있지만 리더에게는 "이 정도면 됐다." 이 말이 치명적이다. 조직체의 배움, 변화, 성장이 멈춘다. 리더가 멈춘다는 것은 조직체가 멈추는 것이고 변질된다는 것을 명심해야 한다. 계속 일을 하라는 것이 아니다. 리더는 "변함은 없어도 변화는 있어야 된다."라는 태도로 초심을 잃지 말고 끊임없이 리더 자신, 조직체원들의 가족들까지 책임져야 한다는 책임감으로 리더 자기계발 학습, 연습, 훈련을 해야 한다. 사람이 언제 늙는지 아는가? 나이를 먹을 때가 아니라 배움을 멈출 때 진짜 늙는 것이다. 리더는 언러닝 즉 폐기학습을 해야 한다.

다음은 리더에게 필수인 언러닝을 왜 해야 하는지 깨닫게 해주는 내용이다.

언러닝(unlearning)
과거 경험이나 당시의 지식으로 얻었던 지식 가운데 상당수가 이제 더 이상 현실에 써먹기 어려운 무용지물이 되고 있다.
과감히 버릴 것은 버려야 우리 뇌 용량의 과부하를 막을 수 있는 세상이 왔다. 그래서 '배우는 것보다 잊는 게 더 어렵다'는 말까지 나왔다.

'언러닝(unlearning)'은 말 그대로 '(낡은) 지식을 버린다'는 뜻이다. 점점 더 빨라지는 환경 변화에 4차 산업혁명까지 확산하면서, 이제 과거 지식과 정보로는 현실을 이겨낼 수 없게 됐다. 요즘 같은 예측 불가능한 세상을 살아가려면 새로운 정보와 지식으로 늘 새롭게 무장해야 한다.

기존의 지식과 경험이 주는 안일함에 취해 낡은 지식을 버리지 못하고 즐기다 곤혹스런 상황에 직면하는 기업들이 많다. PC 기반 마이크로프로세스의 대성공에 도취되어 모바일 환경으로의 전환이 늦어 큰 어려움을 겪었던 인텔, 스마트 폰이라는 대세 흐름에 올라타지 않고 피처 폰 글로벌 톱에 안주하다 도태된 노키아, 실시간 스트리밍 동영상 세상이 올 것이란 것을 미처 예견하지 못해 넷플릭스에 권좌를 내준 블록버스터 등이 대표적인 사례다.

<브릿지경제>

폐기학습이란?

폐기학습이란, 새로운 지식이나 프랙티스의 학습 효과를 높이기 위해 과거의 사고방식을 미련 없이 버리는 것을 의미한다. 학습이 새로운 대안의 가치를 올바르게 인식하는 것이라면, 폐기학습은 오랜동안 굳어진 타성에 안

주하지 않고 기존에 학습된 사고의 틀을 과감하게 버리는 것이다.
저명한 경영학자인 Gary Hamel과 C. K. Prahalad는 조직이 기존의 사고방식에서 벗어나 새로운 역량을 개발하기 위해서는 새것을 배우는 학습만이 아니라, 낡은 것을 버리는 폐기학습도 함께 이루어져야만 한다고 강조한다. 대부분의 경영자들에게는 오랜 기간 동안의 조직 생활에서 유사한 가치, 신념, 지식 등을 흡수하게 되어 고유의 사고패턴이 형성되는데, 그들은 이것을 '지배적인 논리(Dominant Logic)'라고 칭하였다.
이 지배적인 논리는 구조, 제도, 의사 결정 프로세스 등 조직 내 제반 경영 활동에 마치 생명체의 유전자처럼 깊이 코드화되어 있기 때문에 새로운 학습을 방해한다. 즉, 기존에 학습된 틀에 따라 상황을 선별적으로 지각하고 판단하기 때문에 새로운 것을 효과적으로 학습하지 못하게 될 수 있다는 것이다.
낡은 것을 버릴 수 있어야 진정한 학습이 가능하다. 배우는 것보다 잊는 것이 더 어렵다는 말이 있다. 새로운 방식의 실험, 다양성의 확장, 창의력이 숨 쉬는 조직을 구현하기 위해서는 새로운 지식에 대한 습득 이전에 과거와의 단절이 필요하다.
아무런 선입견이 없는 백지상태에서 시작하는 것이 오히려 진정한 학습을 가능하게 할 수 있다는 이야기이다.

예컨대, 기존 조직의 영향을 차단시키기 위하여 신사업 조직을 독립 조직 형태로서 별도로 운영하는 것도 폐기 학습 조직을 만들기 위한 하나의 시도라고 볼 수 있다. 신사업을 기존 조직에서 발전시킬 경우, 기존 조직의 논리나 사고방식으로 인해 우선순위에서 밀리거나 조직 내 정치적인 문제에 의해서 암묵적으로 방해를 받을 수 있기 때문이다. Sony의 게임 사업도, HP의 PC용 프린터 사업도 모두 기존의 시스템을 떠나 별도의 조직으로 분리하여 관리한 것이 성공 요건 중의 하나였다.

결론적으로 학습을 통해 변화를 추진하려면, 새로운 지식에 대한 학습과 과거의 사고방식을 버리는 폐기학습 모두가 필요하다. 오랜동안 굳어진 타성에 안주하지 않고 새로운 지식이나 프랙티스를 학습하면서 유연하게 대처하는 기업은 변화가 또 하나의 기회가 될 것이다. 반면 과거의 경영 방식이나 프랙티스에 집착하면서 새로운 학습을 게을리하는 기업은 변화에 능동적으로 대처하지 못하는 이류 기업으로 전락하게 될 것이다. 새로운 것에 대한 학습은 변화의 반쪽에 불과할 뿐이라며 기존 것을 버리는 포기의 미덕을 강조했던 Peter Drucker의 충고는 변화를 시도하는 기업들에게 시사하는 바가 크다고 할 수 있다.

<www.lgeri.com 정영철 연구원>

리더놀음에 빠지는 첫 번째는 과거의 성공에 취해 있다는 것이다. 과거 경험이나 결과를 냈던 것들 상당수가 지금 시대에 더 이상 써먹기 어려운 무용지물이 되고 있다는 것을 인정을 하고 어제와 다른 방법, 시대에 맞는 방법, 사람들의 심리 변화에 맞는 방법 제시를 해줘야 한다. 빠르게 변하는 시대에 변화 없이 과거에 겪은 성공에 빠져 팀원, 조직체 원들에게 참고 사항이 아닌 강요를 한다면 반발심이 아닌 불신이 생긴다. 당연히 리더의 결과를 냈던 성공 방식들을 무시는 못 한다. 하지만 빠르게 변하는 현실에서 시대에 맞지 않는 방법으로 강요하는 건 무지 속에서 오는 아집이다. 그래서 리더 자기계발을 끊임없이 그 누구보다 100배는 더 해야 한다. 하지만 리더 자기계발이 나이 먹는 것처럼 자연스럽게 잘될 거라는 착각을 한다.

리더가 자기계발을 하지 않아서 조직이 변질되어 결국 회사가 망하는 이유가 리더 때문인데 조직체 원들 때문이라는 착각 속에 살고 있는 리더들이 많다.
리더여, 아직도 팀원, 직원...남 탓하기 바쁜가? 모든 문제는 리더에게서 시작된다.

말로만 채워주면 3개월, 6개월, 1년 끌고 간다.
돈만 채워주면 1~3년 끌고 간다.
존중, 인정, 비전, 가치, 가능성, 성장
배움(자기계발)을 채워주면 100년 끌어간다.

리더는 100년 회사를 만들기 위한
리더 자신 만을 위한 자기계발이 아닌
팀원, 직원, 조직체 원들이
리더와 100년 동안 함께 할 수 있는
리더 자기계발을 해야 한다!

★ 리더는 노오력 자기계발이 아닌 올바른 노력 자기계발을 해야 한다.

생일을 축하하지 않는 부족

가로 4,000km, 세로 3,200km, 총면적 768만㎢ 드넓은 호주 대륙을 걸어서 횡단하는 원주민이 있다. 그 어떤 음식도 물건도 없이 빈손으로 출발해 자연에서 모든 것을 얻어 생활하는 오스틀로이드 부족(그들은 스스로를 참사람 부족이라고 부른다) 그리고 그들에게는 남다른 풍습이 하나 있다.

바로, 생일을 기념하지 않는 것. 한 백인 의사가 그들과 함께 호주를 횡단하며 생일 파티에 대한 얘기를 들려주었을 때 그들은 고개를 갸웃거렸다. 생일을 왜 축하하는 거죠? 축하는 특별한 일이 있을 때 하는 것 아닌가요? 의사는 대답했다.
한 생명이 태어났다는 사실은 축복받을 만한 일이니까요! 음, 탄생의 순간은 분명히 특별하죠. 그런데, 나이를 먹는 것도 특별한 일일까요? 나이를 먹는 데는 아무런 노력도 필요하지 않잖아요. 그건 그냥, 저절로 되는 거죠. 의사는 자신도 모르게 고개를 끄덕였다. 나이가 들어가며 점점 더해지는 의무감에 마음이 무거워졌던 기억도 떠올랐다. 잠시 고민하던 의사는 그들에게 되물었다.

그럼, 당신들은 무엇을 축하하나요? 그들은 입 끝에 옅은 미소를 지으며 대답했다. 우리는 나아짐을 축하합니다. 어제보다 오늘 더 작년보다 올해 더 성장했을 때, 우리는 그걸 축하합니다. 생일이라는 건 1년이 지나면 저절로 돌아오지만 한 사람의 성장에는 단순한 시간 이상의 노력이 필요한 거니까요.

작은 변화조차도 저절로 되는 게 아니죠. 그래서 우리는 생일이 아니라 성장을 축하합니다. 크고 작음은 상관없습니다.

작은 변화라고, 작은 한 걸음이라도 상관없으니 여러분도 생일 말고 성장을 축하해 보세요. 고민 끝에 드디어 하고 싶은 일을 찾았다고 말하는 친구의 새로운 한 걸음을 축하하고 처음으로 혼자 심부름을 다녀온 막내의 용감한 한 걸음을 축하해 보는 거죠. 작은 한 걸음이더라도, 그 성장을 함께 축하해 본다면 매일 매일을 생일처럼 보낼 수 있지 않을까요?

<참사람, 오스틀로이드 부족의 이야기>

<유튜브 열정의 기름붓기>

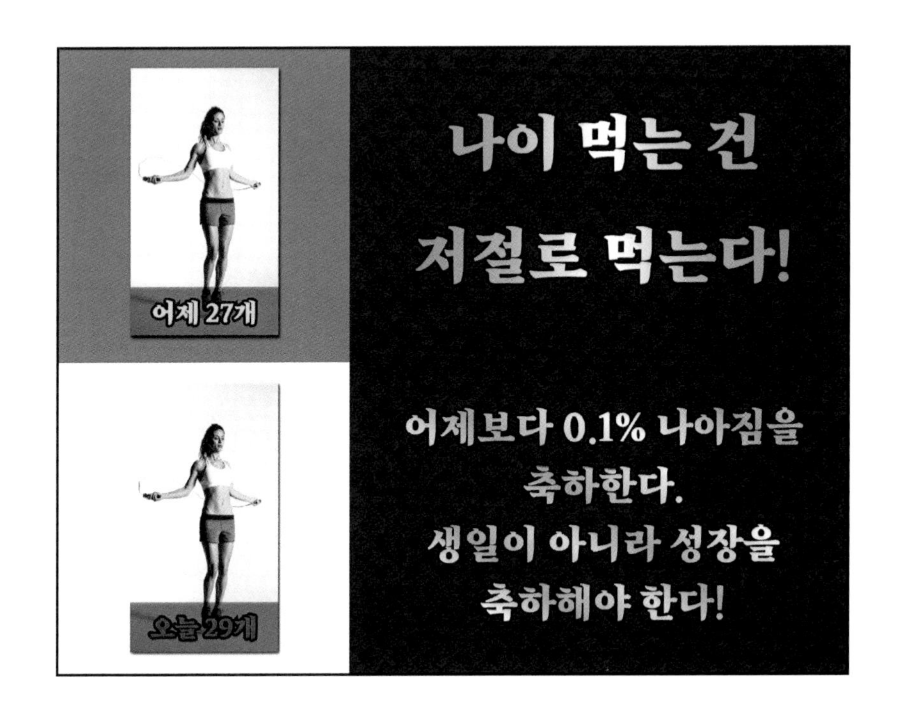

리더들이 자기계발 하는 이유는 각자 다르지만 대부분 자기계발의 목적인 결과, 성공, 인정에 너무 집착하다 보니 꾸준히 못 하는 경우가 많다. 세상, 현실, 주위 사람들의 기준, 시선에 너무 의식한 자기계발이 아닌 사소한 것이라도 어제보다 0.1% 나아짐, 변화, 성장이 방탄 리더 자기계발이다. 이제는 자기계발도 자신의 만족으로만 끝나면 안 된다. 빠르게 변하는 시대, 흐름에 맞게 자신 분야+ 자기계발+ 삼성(진정성, 전문성, 신뢰성)+ 돈 연결(월세, 연금성 수입)+ 성장+ 변화+ 사람들에게 도움+ 함께 잘 살자가 융합이 될 수 있는 자기계발인 방탄 리더 자기계발을 해야 한다.

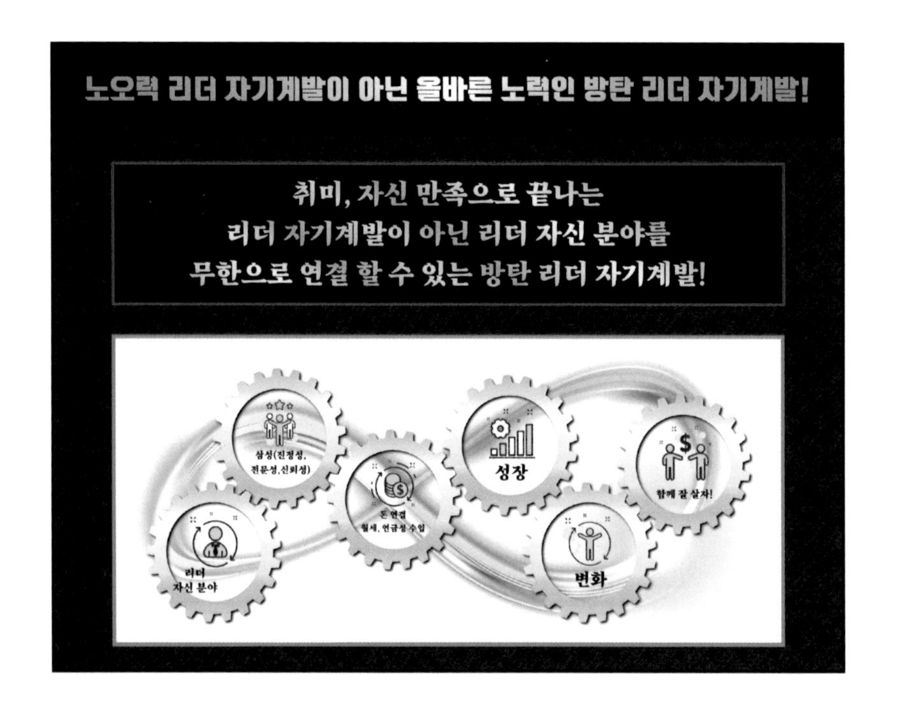

다음은 목표를 이루기 위한 준비가 왜 중요한지를 깨닫게 해주는 스토리텔링들이다.

큰 고기를 잡으려면

열 살 난 꼬마는 주말에 아버지, 아버지의 친구들과 함께 알래스카로 낚시 여행을 가기로 했다. 큰 고기를 잡고 싶었던 꼬마는 크고 무거운 낚싯대와 낚싯줄을 사겠다고 고집을 피웠다. 아들의 기대를 꺾고 싶지 않았던 아버지는 마지못해 그의 요구를 들어주었다.

아버지의 친구들은 꼬마가 커다란 낚시 도구를 챙겨오자 껄껄 웃으며 놀려 댔다. "고래라도 잡아 올 생각이니, 꼬마야?" "저는 커다란 창꼬치를 잡을 거예요." 꼬마가 자신 있게 대답했다. "오, 그러냐. 아무렴 큰 놈으로 잡아야지." 어른들은 더욱 큰 소리로 웃어댔다. 낚시터에 도착해서도 어른들은 꼬마의 커다란 낚시 도구를 놓고 놀려댔다.

그러던 중 한 사람이 큰 소리로 외쳤다. "이런! 큰 놈이 걸린 것 같아!" 모두 몰려들었으나, 팽팽하던 낚싯줄이 그만 끊어져 버렸다. 그 사람은 좀 더 튼튼한 걸로 준비해올 걸 하고 후회했다.

그리고 집으로 돌아가기 바로 전날, 꼬마는 마침내 커다란 창꼬치를 잡았다. 어찌나 세게 잡아당기던지 겁이 날 정도였다. 꼬마는 무려 30분이나 씨름을 한 끝에 원하던 물고기를 잡아 올릴 수 있었다.

뜰채와 물고기

한 유원지에 화창한 봄을 맞이하여 나들이를 나온 사람들로 가득 찼습니다.

"싱싱하게 살아있는 고기를 직접 잡아보세요. 뜰채를 빌려드립니다. "

유원지 한쪽에서 한 노인이 뜰채를 들어 보이며 외쳐대고 있었습니다.

청년이 호기심 어린 얼굴로 옆에 있던 여자 친구에게 말했습니다. "우리도 한번 해볼까? 내가 아주 큰 물고기를 잡아 줄게! 수조 안에는 물고기들이 가득했는데 몇몇 사람들이 각자 뜰채를 이용해 잡고 있었습니다.

이때 한사람이 어른팔뚝만한 물고기를 막 뜰채로 건져 올렸습니다. 그것을 보고 기대에 찬 청년이 들뜬 목소리로 물었습니다. "할아버지, 그 뜰채를 빌리는데 얼마입니까?" 노인 앞에 놓인 세 개의 뜰채를 가리키며 말했습니다. 여기서부터 오천 원, 만원, 만 오천 원입니다.

청년은 수조 속의 물고기라면 맨손으로도 잡을 수 있을

것이라 생각하고 가장 싼 뜰채를 빌렸습니다.
청년이 뜰채를 수조 안에 넣자마자 구석에 있던 커다란 물고기 한 마리를 낚아챘습니다.
"와 정말 커다란 물고기다!" 청년은 뜰채를 힘껏 들어 올렸습니다.
그런데 순간 뜰채가 찢어지면서 팔딱거리던 물고기가 다시 수조 안으로 떨어졌습니다.
청년은 다시 오 천원을 내고 다시 뜰채를 빌렸습니다.
"이번에는 꼭 성공할 터이니 잘 보라고!"
그 청년은 여자 친구에게 자신있게 말하고 뜰채를 수조 안으로 집어넣었습니다.
그러나 이번에도 결과는 마찬가지였습니다. 무려 네 번의 뜰채가 그렇게 허망하게 망가지고 청년은 아주 작은 물고기 한 마리도 잡지를 못했습니다. 청년은 화가 치밀어 노인에게 거칠게 말했습니다.

"아니 할아버지 이 뜰채가 너무 약해서 자꾸 찢어지어서 물고기를 잡아도 뜰채가 약해서 낚을 수가 없으니 이게 뭐예요?"

그러자 노인이 허허 웃으며 대답했습니다. "아주 간단한 이치가 아니겠나? 자네는 가장 싼 뜰채로 큰 물고기만 잡으려고 하지 않았나?

그 뜰채가 얼마나 견뎌낼지를 생각하지도 않고 무조건 큰 고기만 노리지 않았는가? 물론 보다 좋은 큰 고기를 원하는 것은 나쁘다는 말은 아닐세! 그러나 자기의 조건이 어떤지를 생각해봐야 하지 않나?

큰 물고기를 잡으려면 그것을 견뎌 낼 수 있고 더 크고 튼튼한 뜰채를 먼저 선택해야 하지 않는가? 안 그런가? 노인의 말에 청년은 다시 발끈했습니다.

"하지만 뜰채가 약하고 형편없던 것은 사실이잖아요?"
"그러니까 내 말은 큰 물고기를 잡고 싶으면 그에 맞는 비싸고 튼튼한 뜰채를 고르라는 것일세! 아니면 그냥 작은 물고기로 만족을 하던가! 안 그런가?"

《참 행복한 세상》

자신 분야에서 큰 고기(큰 결과, 큰돈)를 잡기 위해서는 큰 낚싯대, 큰 뜰채를 준비하기 위해서 과감한 투자를 할 때도 있어야 하는데 늘 망설인다.

20,000명 심리 상담, 코칭 하면서 알게 된 것은 대부분 리더들이 "성공은 하고 싶은데 노력은 하기 싫어요."라는 태도로 작은 뜰채만을 가지고 큰 고기를 잡으려고 한다는 것이다. 노오력 자기계발만 한다는 것이다.

뜰채, 낚싯대로 시대에 맞게 업그레이드를 해야 한다. 작은 뜰채, 작은 낚싯대가 일반 리더 자기계발이라면 큰 뜰채 큰 낚싯대는 방탄리더 자기계발이다. 빠르게 변하는 세상 속에서 더 힘들어지는 상황 속에서 자신, 자신 분야 성장을 넘어서 제2 수입, 제3 수입까지 연결시킬 수 있는 자기계발인 방탄 리더 자기계발을 해야 한다.

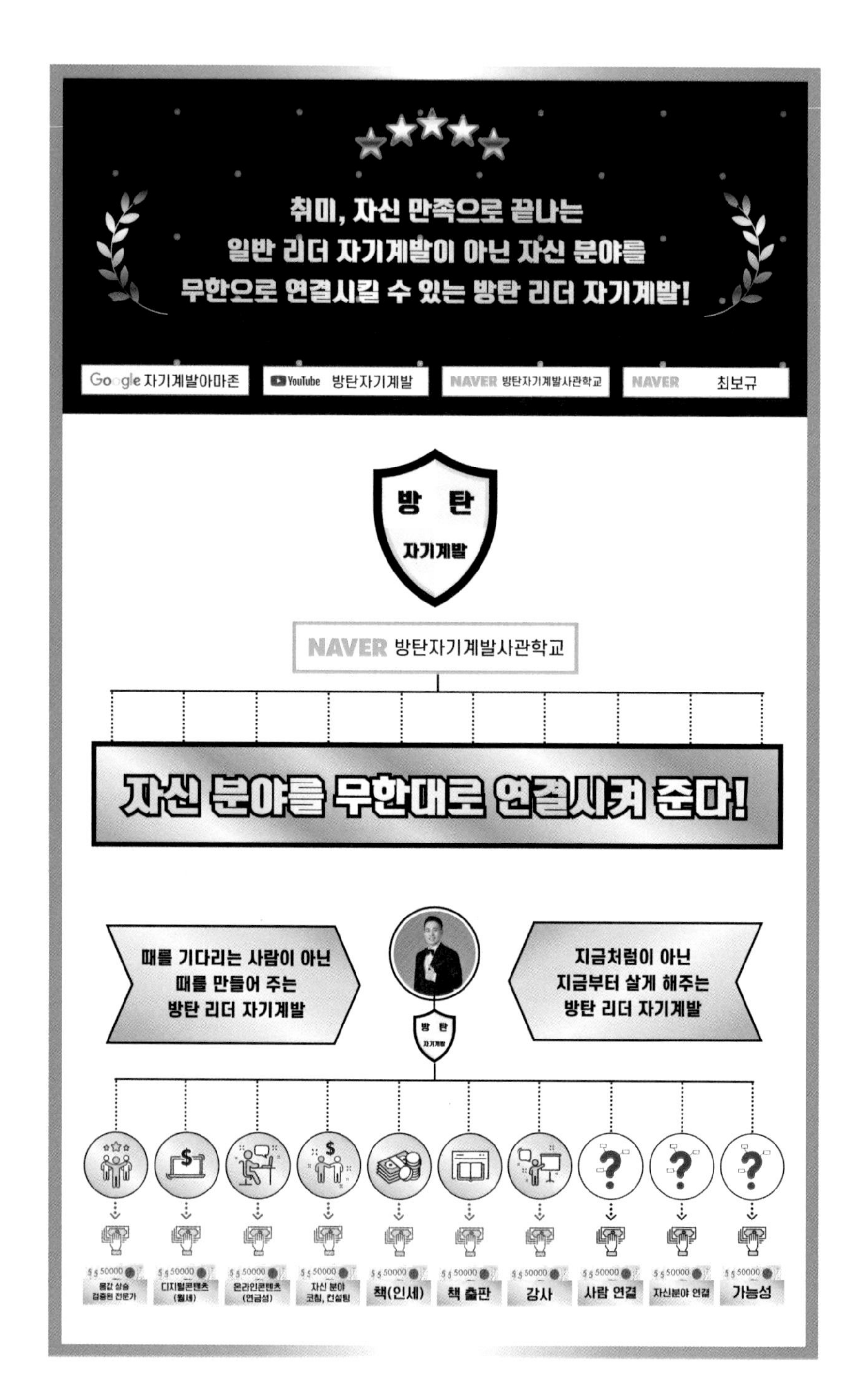

취미, 자신 만족으로 끝나는
일반 리더 자기계발이 아닌 자신 분야를
무한으로 연결시킬 수 있는 방탄 리더 자기계발!
Google 자기계발아마존
YouTube 방탄자기계발
NAVER 방탄자기계발사관학교
NAVER 최보규
방탄
자기계발
NAVER 방탄자기계발사관학교
자신 분야를 무한대로 연결시켜 준다!
때를 기다리는 사람이 아닌
때를 만들어 주는
방탄 리더 자기계발
지금처럼이 아닌
지금부터 살게 해주는
방탄 리더 자기계발
방탄
자기계발
몸값 상승
검증된 전문가
디지털콘텐츠
(월세)
온라인콘텐츠
(연금성)
자신 분야
코칭, 컨설팅
책(인세)
책 출판
강사
사람 연결
자신분야 연결
가능성

인고의 시간을 거쳐 쌓은 소중한 자신 분야 경력을
왜? 썩히고 있는가?
쌓은 경력으로 온라인 건물주가 될 수 있다?
자신 분야를 방탄자기계발과 연결 수입 창출!
자신 분야
방탄자기계발
몸값 상승
책 출간
(종이책, PDF)
(인세 유산)
멘토가 150년
A/S, 관리
방 탄
동기부여
디지털콘텐츠
수입(100년)
불특정 다수와
비즈니스 연결
방 탄
자기계발
온라인콘텐츠
수입(100년)
코칭 수입
(100년)
온라인 건물주
(월세, 연금성)
재능 마켓
수입(100년)

★ 20,000명 심리 상담, 코칭 하면서 알게 된 리디 자기계발의 비밀!

다음은 시대에 맞는 자기계발을 해야 하는 이유를 깨닫게 해주는 스토리텔링이다.

옛날 부자와 현대 부자의 차이

옛날 부자와 현대 부자 사이에는 큰 차이가 있습니다. 옛날 부자의 주류는 '아카데믹 스마트Academic Smart', 현대 부자의 주류는 '스트리트 스마트Street Smart'로 종종 표현되는데 이것은 과연 어떤 의미일까요?

예전에는 어릴 때부터 엘리트 교육을 받고 명문대를 졸업한 후 유명 대기업에 취직하거나 창업하는 것이 부자가 되는 주요 방법이었습니다. 즉 공부 잘하고 똑똑한 사람이 되어야 부자가 되는 길로 갈 수 있었는데, 이를 '아카데믹 스마트'라고 합니다. 물론 옥스퍼드대학교나 하버드대학교 등은 현재까지도 세계적인 엘리트 양성소이며 전 세계의 자산가 자녀들이 모두 모여듭니다. 그 학교에 다니는 것이야말로 부자가 되는 가장 확실한 방법이라고 알고 있기 때문입니다. 단, 우리 같은 일반인에게는 문턱이 조금 더 높지요.

하지만 지금은 부를 만들어내는 방법이 그 외에도 얼마든지 있습니다. 다소 투박하더라도 자신의 아이디어나

기술, 경험, 열정을 전부 활용해서 사회에 부가가치를 줄 수 있는 존재가 되면, 다시 말해 혹독한 경쟁사회에서 살아남는 지혜와 사고방식을 갖추면 엘리트 교육을 받지 않더라도 돈을 끌어모을 수 있는 시대가 되었습니다. 그리고 그 부가가치를 얻는 사람(돈을 내는 사람)은 상대방의 직함 따위는 전혀 신경쓰지 않습니다.

만일 여러분이 유복한 가정에서 태어나지도 않았고 엘리트 교육도 받지 못했다면 맨몸으로 부를 창출하는 '스트리트 스마트'를 목표로 삼는 것이 좋습니다. 바로 이것이 현대에 부자가 되는 가장 빠른 길이자 유일한 길입니다. 또한 현재 자신이 갖고 있는 가난한 사람의 사고방식을 버리고 책에서 주장하는 부자의 사고방식을 익히는 일이야말로 그 지혜를 연마하기 위한 첫걸음입니다. 부자의 사고방식을 받아들인 후에는 돈을 벌기 위한 기술을 향상시키고 이를 가능케 하는 인간관계를 구축하며 자신을 둘러싼 환경을 바꾸는 일에 온 힘을 쏟아야 합니다.

《부자의 사고 빈자의 사고》

20,000명 심리 상담, 코칭 하면서 알게 된 자기계발의 비밀! 우리는 지금 어떤 시대에 살고 있는가? 포노 사피엔스 시대!(스마트폰 시대) 4차 산업 시대! AI 시대! 5G ~ 10G! 메타버스 시대! 챗GPT 시대! 클릭 한두 번

이면 세상 모든 정보들을 습득할 수 있고 볼 수 있는 환경에 살고 있다.

하루 만에도 자기계발, 동기부여 (책, 메시지, 정보, 설명, 사진, 글, 가짜 정보 등) 홍수 속에 살고 있다.
하지만 아이러니하게도 홍수가 나면 물은 많지만 식수(먹는 물)가 더 부족하듯 10년 전보다 스마트폰 없는 시대보다 리더 자기계발, 동기부여를 더 하지 못한다.

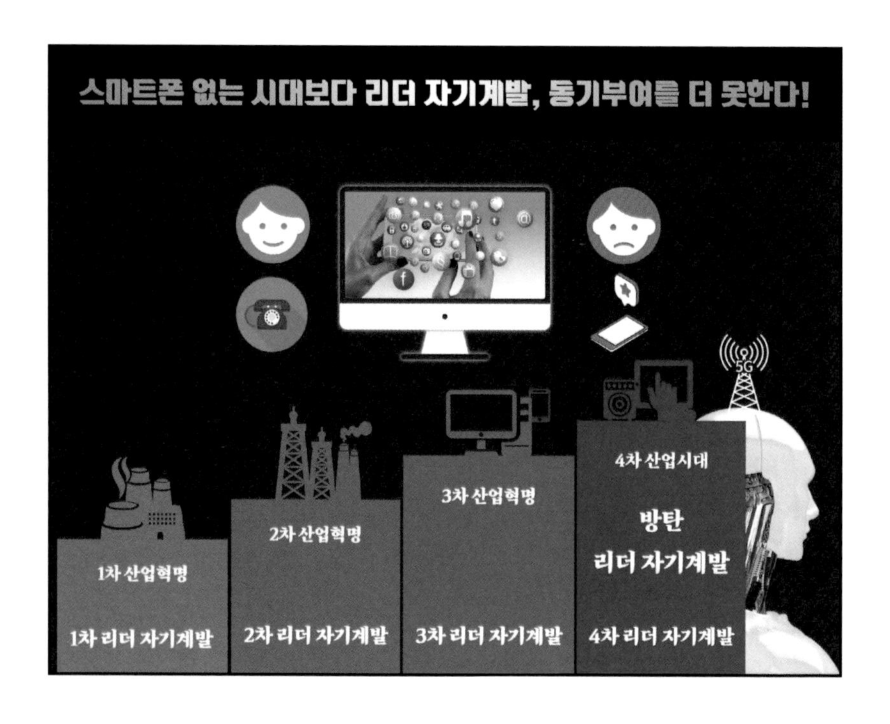

20,000명 심리 상담, 코칭 하면서 알게 된 것은 자기계발, 동기부여 내용들이 너무 많아 혼동되어 리더에게 맞

는 것을 찾기가 힘들어서 시작조차 못 하는 리더들이 대부분이다.
자기계발를 해보기 위해 이것저것 많이 해보지만 시간, 돈만 낭비한다. 그래도 이건 다르겠지 하면서 영상, 교육, 코칭을 하지만 계속 악순환을 반복한다.

리더에게 맞는 리더 자기계발, 동기부여를 찾기 위해 한두 가지 알고 있는 리더 자기계발, 동기부여 내용으로 시작을 해서 개선해 나아가야 하는데 지금은 리더 자기계발, 동기부여 내용들이 너무 많아서 속된 말로 물 반, 고기 반일 정도로 차고 넘치다 보니 귀한 것들이 하찮게 되어버린다. 그래서 시간이 가면 갈수록 리더 자기계발, 동기부여가 더 힘들어지는 것이다.

20,000명 심리 상담, 코칭 하면서 알게 된 가장 효과적인 리더 자기계발, 동기부여는 자생능력이 생길 때까지 검증된 전문가에게 꾸준하게 a/s, 관리, 피드백을 받아야 하는 것이다.

닥치는 대로 영상을 엄청나게 보고 책만 읽고 양만 많으면 안 된다. 당연히 양질전환의 법칙을 생각하면 양이 많아야 하는 건 맞다. 하지만 일반적인 노력이 아닌 올바른 노력을 해야 한다.

노오력이란? 시간, 경험, 횟수만 채우는 것이다. 경력은 스펙이 아니라고 계속 언급을 했다. 어느 정도 수준에서는 더 이상 올라가지 않는다. 99도까지는 물이 절대 끓지 않듯이 마지막 99도에서 100도가 될 때까지 1도를 올리려면 올바른 노력이 있어야 한다. 다음은 사소함의 차이, 디테일함의 차이가 크다는 것을 깨닫게 해주는 스토리텔링이다.

옛날 어느 시장에 짚신을 파는 가게가 두 군데 있었다.

두 가게는 서로 마주 보고 장사를 했는데 한 가게는 늘 장사가 잘되었고, 한 가게는 늘 장사가 안되었다. 장사가 안되는 가겟집 주인은 도무지 그 이유를 알 수 없어 답답했다. 짚신도 똑같고 값도 똑같은데 왜 저쪽 가게는 언제나 손님이 북적거리고 자기네 가게는 파리만 날아다니는지 정말 알 수 없는 노릇이었다. 그런데 뜻밖에도 비결은 아주 작은 것이었다. 장사가 잘되는 집 주인은 짚신 안쪽에 돋아 있는 보푸라기를 잘라내어 발이 훨씬 편하게 만들었던 것이다. 이것이 그 가게에만 손님이 몰리게 만든 비결이었다.

《통찰의 기술》

알고 나면 우주에서 가장 쉬운 것이 되고 사소한 것도 모르면 우주에서 가장 어려운 것이 되는 게 인생이다.
마찬가지로 노오력과 올바른 노력에 차이도 사소한 것에서 차이를 만든다. 자신 분야 99도에서 1도 올리는 방법이 의외로 사소한 것으로도 될 수도 있다는 것이다. 사소한 것을 잘 보기 위해서는 올바른 노력의 개념을 알아야 한다. 리더는 올바른 노력의 개념을 그 누구보다 제대로 알아야만 조직체가 노력에 배신을 당하지 않는다. 집중하자! 올바른 노력이란? 올바른 노력은 1단계 집중, 2단계 전문가의 피드백, 3단계 수정의 세 단계를 반복적으로 결과가 나올 때까지 꾸준하게 하는 것이다.

99도에서 1도를 올려주는 방탄 리더 자기계발

노오력
시간, 경력만 채우는 것!
경력은 스펙이 아니다!

올바른 노력
(방탄 리더 자기계발)

1. 집중 2. 전문가 피드백 3. 수정

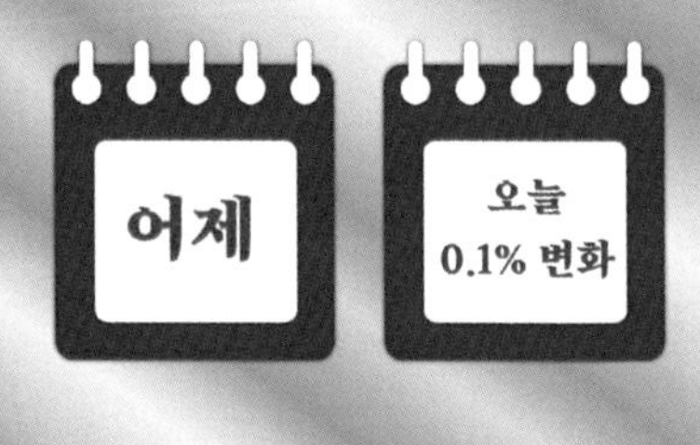

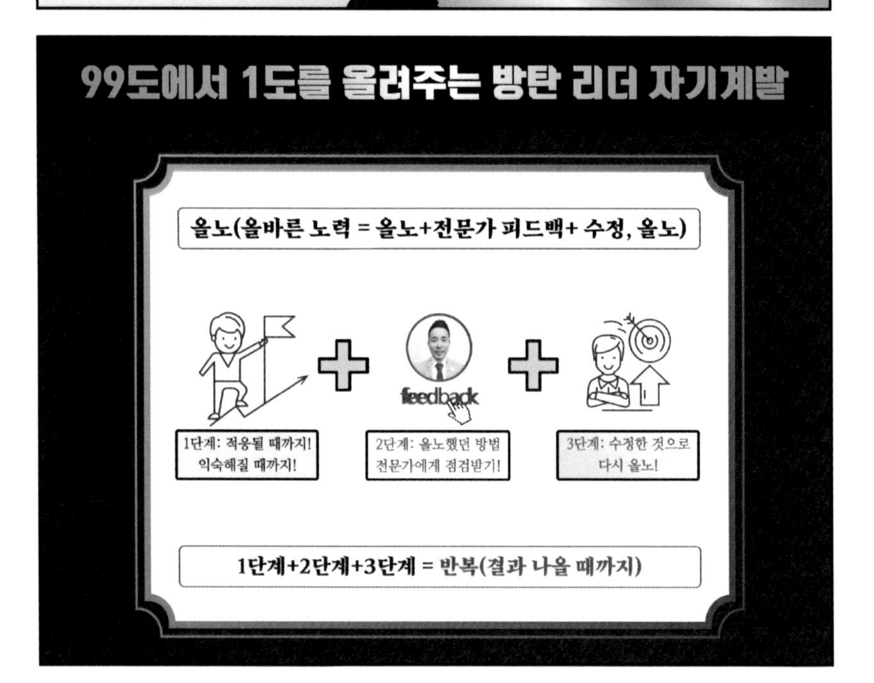

★ 노력이 배신하는 시대! 배신 안 당하기 위한 올바른 리더 자기계발!

돈, 시간 투자한 만큼 본전은 뽑아야 하는데 대한민국에 있는 리더 자기계발 교육 대부분이 자신의 리더 자기계발교육을 듣게 하려고 간, 쓸개 다 빼준다고 하면서 현혹 시킨다. 교육을 듣고 나면 알아서 하라는 식으로 방치하는 자기계발 문화가 되어버렸다. 교육 전과 후가 580도 다르게 운영하는 교육기관들이 많다. 한마디로 검증 안 된 리더 자기계발 전문가들이 많다는 것이다.

20,000명 심리 상담, 코칭 해보면 리더 자기계발, 동기부여 교육을 들었던 사람들이 늘 하는 말이 있다.

"처음에는 간, 쓸개 다 빼주는 말로 다 해준다고 하면서 교육 끝나면 나 몰라라 하고 교육 자료도 중요한 것은 빼고 주며 자료를 보다가 궁금한 부분이 생겨 물어보려고 전화하면 받지도 않고 연락도 주지 않는다."

리더 자기계발, 동기부여 교육 기관들이 다 그런 건 아니다. 필자가 경험하고 20,000명 심리 상담, 코칭 하면서 알게 된 것은 90%가 시간, 돈 낭비 교육, 코칭을 한다는 것이다. 10개 중 1개 교육기관만 제대로 교육을 하고 있다. 이렇다 보니 제대로 된 리더 자기계발, 동기부여 전문가를 찾기가 로또만큼이나 힘든 게 현실이다.

돈 낭비, 시간 낭비를 줄이기 위해서는 자기계발 개념을 먼저 알아야 합니다.

평균적으로 학습자들은 교육만 받으면 80% 효과를 보고 동기부여가 되어 행동으로 나올 것이라고 착각한다. 그러다 보니 교육받는 동안 생각만큼, 돈을 지불한 만큼 자신 기준의 미치지 못하면 효과를 보지 못할 거라고 지레짐작으로 스스로가 한계를 만들어 버린다. 그래서 행동으로 옮기지 못하는 것이 상황, 교육자가 아닌 자기 자신이라는 것을 모른다.

20,000명 심리 상담, 코칭, 리더 자기계발 서 23권 출간, 리더 습관 320가지 만듦, 시행착오, 대가 지불, 인고의 시간을 통해 가장 효율적이며 효과적인 교육 시스템은 2:3:5라는 것을 알게 되었다.
교육 듣는 것은 20%밖에 도움이 되지 않는다. 교육을 듣고 스스로가 생활 속에서 배웠던 것을 토대로 30% 학습, 연습, 훈련을 해야 한다. 학습, 연습, 훈련한 것을 가장 중요한 50%인 검증된 전문가에게 꾸준히 a/s, 관리, 피드백을 받아야만 2:3:5공식 효과를 볼 수 있다.

방탄 리더 자기계발 본질은 교육 20%, 자신의 학습, 연습, 훈련 30%, 검증된 전문가의 a/s, 관리, 피드백 50%를 통해 어제보다 0.1% 변화, 성장, 나음, 좀 더 좋은 방법, 좀 더 다른 방법, 개선 방법으로 150년 "함께 하자"이다.

80%는 교육으로 만들어진다? 300% 틀렸다!

세계 최초! 방탄 리더 자기계발
효율적인 교육 시스템!

1단계

교육 = 20%

2단계

스스로
학습, 연습, 훈련
= 30%

3단계

검증된 전문가
a/s,관리,피드백
= 50%
150년
a/s,관리,피드백

해보자! 해보자!
리더 가능성을 믿고!
해보자!
해보자!
리더의
사과 씨, 도토리, 포도 씨 믿으세요!
사과 씨 안에 얼마나 많은 사과가 있는지 모른다!
도토리 안에 얼마나 많은 도토리가 있는지 모른다!
포도 씨 안에 얼마나 많은 포도가 있는지 모른다!

집을 짓는 데 가장 중요한 것은 기둥이다. 나다운 방탄리더 자기계발이라는 집을 짓는데 10개 기둥이 중요하다. 방탄리더 자기계발의 10가지 기둥인 자존감, 행복, 멘탈, 습관, 사랑, 웃음, 강사, 책쓰기, 유튜버, 리더십이다.

자존감, 행복, 멘탈, 습관, 사랑, 웃음은 사람이 살아가는 데 없으면 안 되는 가장 기본적인 자기계발이다.

강사 자기계발, 책 쓰기 자기계발, 유튜버 자기계발, 리더십 자기계발은 비대면 시대에 자신분야를 무인 시스템으로 연결시켜 온라인 건물주, 몸 값어치, 수입을 5G 속도로 올려 줄 수 있는 천재일우다. (천재일우: 천 년에 한 번 만난다는 뜻으로 좀처럼 만나기 어려운 기회를 이르는 말이다.)

리더 자기계발도 시스템 안에서 해야지만 자생능력이 생겨서 오래 지속할 수 있다. (자생능력: 스스로 할 수 있는 능력)

이제는 리더 자기계발도 즐겁게, 쉽게, 함께 방탄자기계발사관학교에서 교육, 코칭, 학습, 연습, 훈련받고 150년 a/s, 관리, 피드백 받고 함께 하자!

4차 산업 시대는 4차 리더 자기계발인 방탄 리더 자기계발로 업데이트! 방탄 리더 자기계발 학습, 연습, 훈련으로 리더십을 다시 갱생하자!

#. 갱생: 마음이나 생활 태도를 바로잡아 본디의 옳은 생활로 되돌아가거나 발전된 생활로 나아감

방탄리더사관학교
BULLETPROOF LEADER MILITARY ACADEMY
리더십코칭전문가 자격증
(방탄 리더 인재양성)
BL MA
리더는 누구나 되지만
방탄리더는 아무나 될 수 없다!
BLMA

커리큘럼

클래스명	내용	2급 (온,오프라인)	1급 (온,오프라인)
CLASS 1 방탄 리더십 본질	노벨상 수상자 리더십 성공한 리더의 리더십은 다 잊어라!	1H	선택한 과 5H -------- 선택한 분야 5H
CLASS 2 방탄 리더 자존감, 멘탈	스트레스 관리, 마인드컨트롤이 잘 되는 리더 자존감, 멘탈 배터리 고속 충전하는 방법	1H	
CLASS 3 방탄 리더 습관, 행복	삼성(진정성, 전문성, 신뢰성)을 높이는 습관을 통해 리더 행복을 지키는 방법	1H	
CLASS 4 방탄 리더 자기계발 방탄 리더 동기부여	리더 자기계발,동기부여책 200권, 영상 300개, 교육을 들어도 리더 자기계발,동기부여가 안 되는 이유? 방탄 리더십 셀프 충전 사용 설명서 (도구 설명)	1H	
CLASS 5 방탄 리더 품위유지의무	퇴사를 막고 인재가 오래 머물게 하는 방탄 리더 품위유지의무 10계명 총 정리	1H	

국가등록 민간자격증

★ 자격증명: 리더십코칭전문가 2급, 1급
★ 등록번호: 2023-000126
★ 주무부처: 교육부
★ 자격증 종류: 모바일 자격증

방탄리더사관학교
BULLETPROOF LEADER MILITARY ACADEMY

리더십코칭전문가 1급

한 개 과 선택! 5시간 집중 코칭!

방탄 리더십과

리더 사명감과	리더 기본기과	리더 태도과
리더십 식스펙(PT)과	리더 감정컨트롤과	리더 인간관계과
리더 소통과	리더 스토리텔링과	리더 스피치과
리더십 은퇴 준비과	리더 천재일우과	리더 7대 의무교육과
리더 자존감과	리더 멘탈과	리더 습관과
리더 행복과	리더 자기계발, 동기부여과	리더 재테크과
리더 방탄book기술력과	리더 책 쓰기, 출간과	리더 유튜버과
리더 강사과	리더 코칭과	리더 인재양성과

리더십코칭전문가2급 필기/실기

#. 자격증 검증비, 발급비 50,000원 발생
(입금 확인 후 시험 응시 가능)

▶ 0강~10강(객관식):(10문제 = 6문제 합격)

▶ 11강(주관식):(10문제 = 6문제 합격)

▶ 시험 응시자 문자, 메일 제목에 리더십코칭전문가 2급 시험 응시합니다.
최보규 010-6578-8295 / nice5889@naver.com

▶ 네이버 폼으로 문제를 보내주면 1주일 안에 제출!
합격 여부 1주일 안에 메일, 문자로 통보!
100점 만점에 60점 안되면 다시 제출!

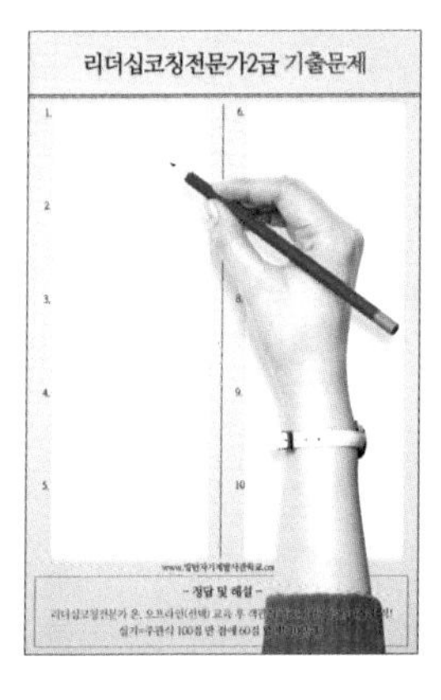

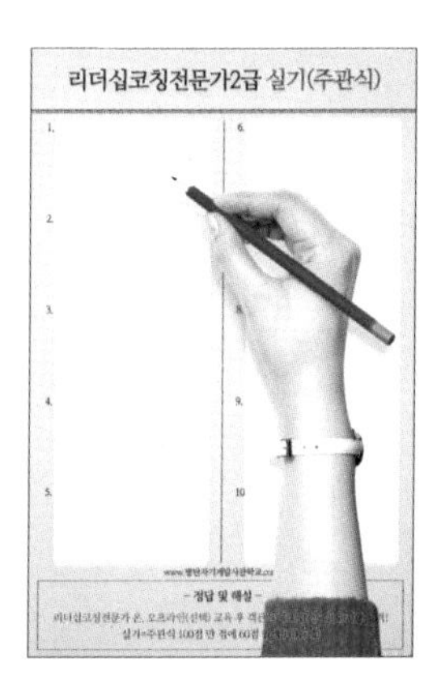

리더십코칭전문가1급 필기/실기

리더십코칭전문가2급 취득 후
온라인(줌), 오프라인 선택 후
방탄리더사관학교 25가지 과에서 한개 과 선택!
한 분야 5시간 집중 코칭 후 2급과 동일하게 필기시험, 실기시험 (코칭 비용 상담)

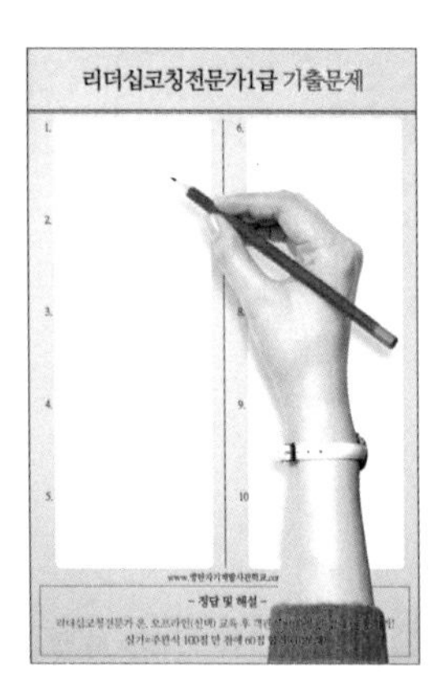

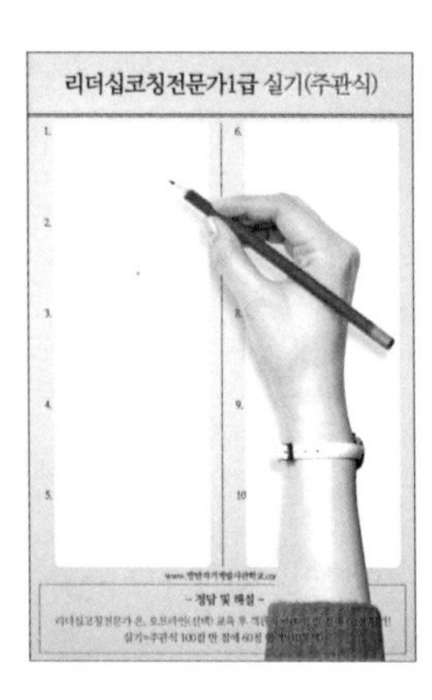

카페에 피카소가 앉아 있었습니다. 한 손님이 다가와 종이 냅킨 위에 그림을 그려 달라고 부탁했습니다. 피카소는 상냥하게 고개를 끄덕이곤 빠르게 스케치를 끝냈습니다. 냅킨을 건네며 1억 원을 요구했습니다.
손님이 깜짝 놀라며 말했습니다. 어떻게 그런 거액을 요구할 수 있나요? 그림을 그리는 데 1분밖에 걸리지 않았잖아요. 이에 피카소가 답했습니다.

아니요. 40년이 걸렸습니다. 냅킨의 그림에는 피카소가 40여 년 동안 쌓아온 노력, 고통, 열정, 명성이 담겨 있었습니다. 피카소는 자신이 평생을 바쳐서 해온 일의 가치를 스스로 낮게 평가하지 않았습니다.

《확신》

명품
자기계발
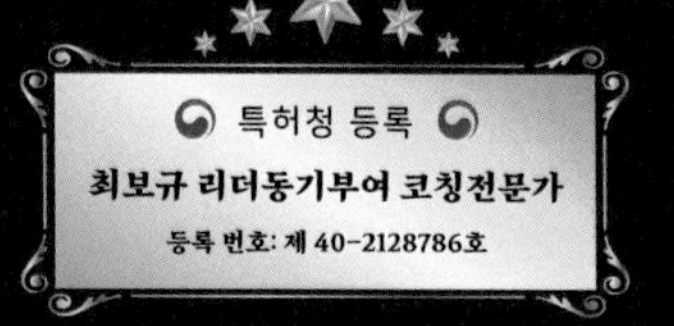
특허청 등록
최보규 리더동기부여 코칭전문가
등록 번호: 제 40-2128786호

명품
동기부여

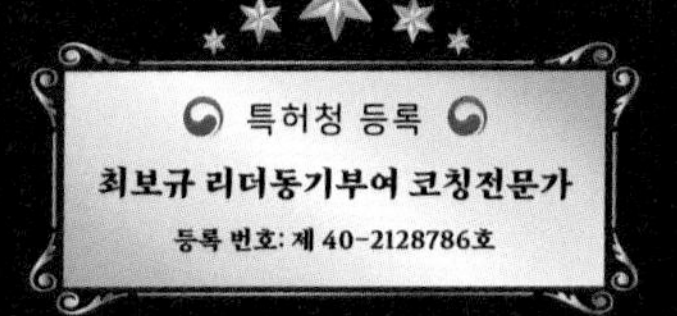

★★★★★ **차별이 아닌 초월 시스템** ★★★★★

누구나 방탄 리더가 될 수 있었다면
난 절대로 방탄리더사관학교를 선택하지 않았을 것이다!

Google 자기계발아마존 | YouTube 방탄자기계발 | NAVER 방탄리더사관학교 | NAVER 최보규

비지니스 방탄 리더PT

기본 10H : 5,000,000원

CHECK POINT

- ☑ 기본 1회(1일=5H/2회)
- ☑ 방탄 리더십 중급 교육(자격증 포함)
- ☑ 150년 A/S, 관리, 피드백

★★★★★ 차별이 아닌 초월 시스템 ★★★★★

누구나 방탄 리더가 될 수 있었다면
난 절대로 방탄리더사관학교를 선택하지 않았을 것이다!

Google 자기계발아마존 | YouTube 방탄자기계발 | NAVER 방탄리더사관학교 | NAVER 최보규

퍼스트클래스 방탄 리더PT

기본 25H : 10,000,000원

CHECK POINT

- 기본 1회(1일=5H/5회)
- 방탄 리더십 고급 교육(자격증 포함)
- 150년 A/S, 관리, 피드백

방탄 리더십 시스템 PT

★★★★★ 차별이 아닌 초월 시스템 ★★★★★

방탄 리더십과

리더 사명감과	리더 기본기과	리더 태도과
리더십 식스펙(PT)과	리더 감정컨트롤과	리더 인간관계과
리더 소통과	리더 스토리텔링과	리더 스피치과
리더십 은퇴 준비과	리더 천재일우과	리더 7대 의무교육과
리더 자존감과	리더 멘탈과	리더 습관과
리더 행복과	리더 자기계발, 동기부여과	리더 재테크과
리더 방탄book기술력과	리더 책 쓰기, 출간과	리더 유튜버과
리더 강사과	리더 코칭과	리더 인재양성과

특허청 등록
최보규 리더동기부여 코칭전문가
등록 번호: 제 40-2128786호
명품 자기계발
명품 동기부여
차별이 아닌 초월 시스템
누구나 방탄 리더가 될 수 있었다면
난 절대로 방탄리더사관학교를 선택하지 않았을 것이다!
Google 자기계발아마존
YouTube 방탄자기계발
NAVER 방탄리더사관학교
NAVER 최보규
방탄 리더십 코칭 전문가 속성 PT
방탄
리더십
기본 50H : 20,000,000원~
CHECK POINT
기본 1회(5H) / (10회)
25개과 속성 PT 과정
150년 A/S, 피드백, 관리

특허청 등록
최보규 리더동기부여 코칭전문가
등록 번호: 제 40-2128786호
명품 자기계발
명품 동기부여
차별이 아닌 초월 시스템
누구나 방탄 리더가 될 수 있었다면
난 절대로 방탄리더사관학교를 선택하지 않았을 것이다!
Google 자기계발아마존
YouTube 방탄자기계발
NAVER 방탄리더사관학교
NAVER 최보규
방탄 리더십 코칭 전문가 6개월 PT
방탄
book 기술력
전문가
기본 30H : 30,000,000원~
CHECK POINT
기본 1회(5H) / (10회)
25개과 6개월 시스템 PT 과정
150년 A/S, 피드백, 관리

죽을 때까지 3가지? 빼고는

모든 것을 학습, 연습, 훈련해야 한다!

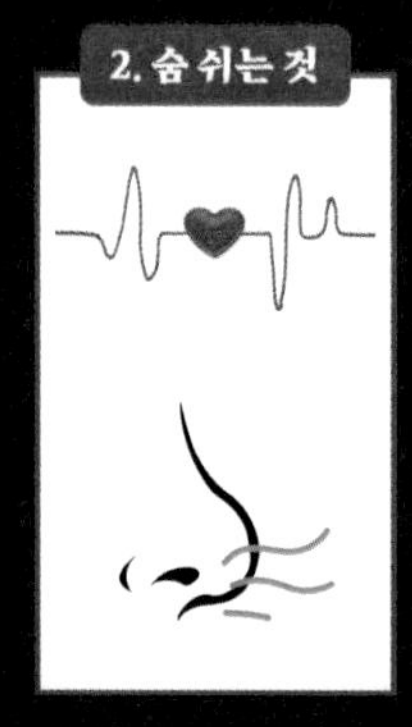

학습, 연습, 훈련 반복!
자생능력
(혼자서 할 수 있는 능력)

양질전환 법칙!

리더 책 100권 출간

리더 책
2,000권 독서

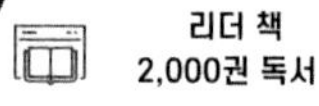

20,000명
심리 상담, 코칭

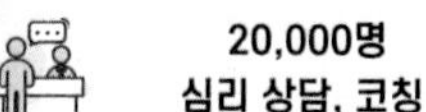

45년간
리더 습관 320가지 만듦

★ 자기계발, 동기부여 책 200권, 영상 300개, 교육을 들어도 자기계발, 동기부여가 안 되는 이유?

- 상담스토리

최보규 방탄 리더 자기계발 전문가님! 저는 자기계발 책 200권 이상을 보고 유튜브 동기부여, 자기계발 영상 300개 이상 봤습니다. 시중에 있는 유료 자기계발 교육, 영상들도 많이 봤습니다. 볼 때만 느끼고 느낀만큼 실천 동기부여가 안 돼서 시간, 돈 낭비한 거 같고 언제까지 해야 하는지 답답하기만 하고 후회스럽습니다. 왜 나아짐이 없는지 이유를 알고 싶고 어떻게 하면 느낀만큼

0.1% 하나라도 실천할 수 있는 방법은 없는지요?
어떻게 하면 느낀만큼 행동으로 옮길 수 있을까요?

20,000명 심리 상담, 코칭 하면서 알게 된 것은 대부분 사람들이 늘 그때 뿐이고 실천 동기부여가 안 돼서 돈과 시간을 낭비하고 있는 게 현실이다.

10개를 느꼈다면 하나라도 실천해야 하는데 왜? 왜? 왜? 실천 동기부여가 안 될까? 어떻게 하면 자기계발 실천을 잘 할 수 있을까? 필자도 리더 자기계발 전문가가 되기 전까지는 늘 그때뿐인 자기계발을 했었다.

"어떻게 하면 할 수 있을까?" 라는 태도로 45년간 리더 자기계발 습관 320가지! 20,000명 심리 상담, 코칭! 리더 자기계발책 2,000권 독서! 자기계발 책 39권 출간으로 알게 된 리더 자기계발, 동기부여 비밀를 세계 최초 오픈한다.

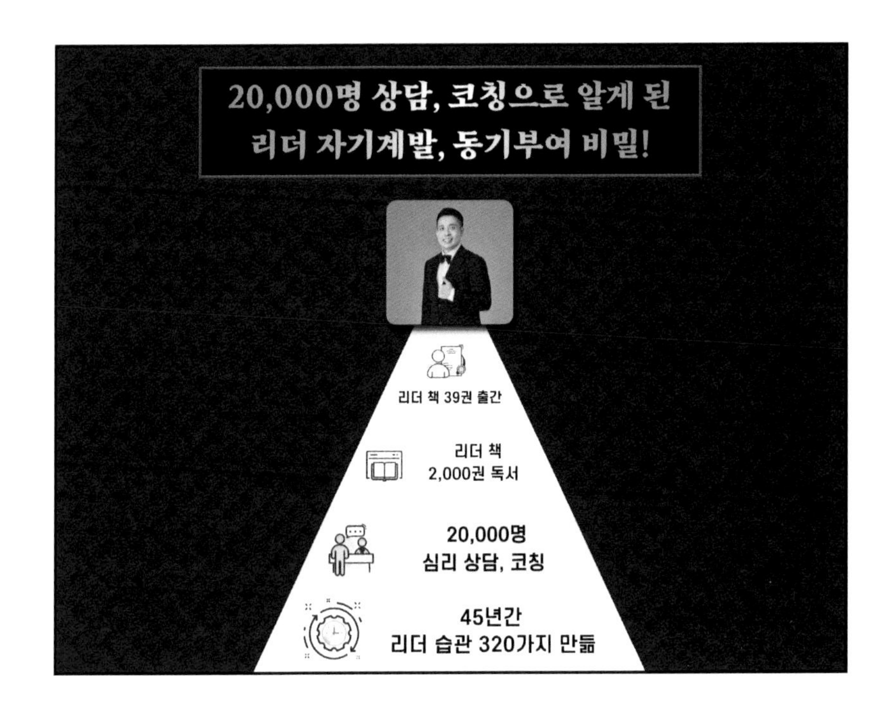

상담 스토리에서 자기계발 책 200권, 유튜브 자기계발, 동기부여 영상 300개 이상, 시중에 있는 유료 자기계발 교육 영상도 많이 봤는데도 실천 동기부여가 안 된다고 했다.

단언컨대 실천 동기부여가 안 되는 가장 큰 이유는 녹화 방송으로 배우기 때문이다. 녹화 방송? 사람의 심리, 본능은 직접 만나서 오감을 느낄 수 있는 생방송일 때 세상에서 가장 강력한 자기계발, 동기부여가 되어 행동으로 나오는 것이다. 과학적으로 검증된 데이터로 말하겠다.

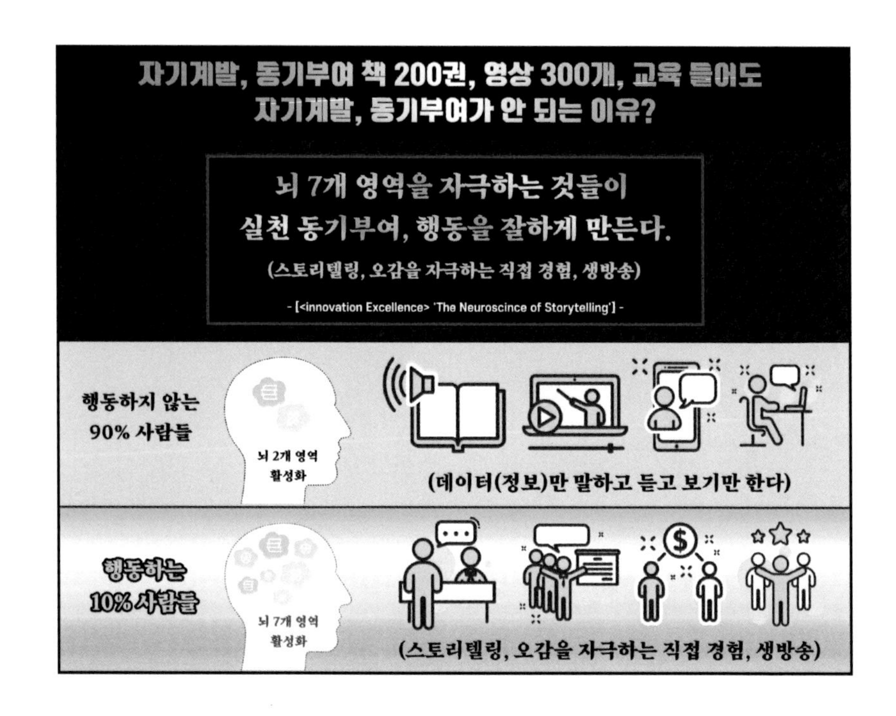

기본적인 사람의 심리는 데이터로(정보)만 말했을 때, 데이터로(정보)만 들었을 때, 데이터로(정보)만 봤을 때는 뇌의 2개의 영역만 활성화된다.
데이터가 아닌 스토리로 보고, 스토리로 듣고, 스토리로 말하고, 스토리로 경험을 하면 뇌의 7개의 영역이 활성화 되어 더 행동하게 만들고 더 실천하게 만든다.

뇌의 7개 영역이 활성화된다는 말은 한마디도 오감을 자극하는 것이다. 오감을 자극하는 것일수록 스스로 "움직여야겠다. 실천해야겠다."라는 동기부여를 강력하게 만든다.

평균적으로 사람들이 실천 동기부여가 약한 또 다른 이유는 아무런 시행착오, 대가 지불, 인고의 시간 없이 쉽게 느끼는 것들이기 때문에 실천과 행동이 나오지 않는 건 당연하다.

시행착오, 대가 지불, 인고의 시간이 들어가야 뇌의 7개 영역을 자극하고 오감을 느끼게 하여 실천 동기부여가 잘 되는 것이다.

시행착오, 대가 지불, 인고의 시간이 없는 동기부여가 뭘까? 피부로 확! 와 닿게! 해주겠다.

자기계발을 못 하는 사람들, 동기부여를 못 하는 사람들 90% 특징 중 하나는 집에 가만히 앉아서 최대한 편한 자세로, 최대한 편한 츄리닝으로 갈아입은 상태에서, 맥주 한잔 먹으면서, 차 마시면서 아무런 긴장감이 없는 상황 속에서 영상을 보기 때문에 실천 동기부여가 안 되서 행동으로 옮기지 못하는 것이다. 실천 동기부여가 안 되는 방법을 하고 있으니 행동으로 옮기지 못하는 게 당연하다.

"아~ 실천해야 하니까 지금 필사하자. 지금 메모해 놔야겠다!" 이런 사람 몇 명이나 될까? "영상, 글, 메시지, 이미지 감동받았어! 너무 좋다! 이거 저장해 두어야겠다!" 이런 사람 몇 명이나 될까?

순간 감동받았어, 느낌 좋았어! 땡 끝? 1초 느끼고 다 쓰레기가 되어버린다.

실천, 행동이 안 나오는 습관을 하고 있는데 자기계발 책 몇 천권, 자기계발 영상을 몇만 개를 보더라도 실천, 행동이 나오지 않는 게 당연하다.

자기계발, 동기부여 실천, 행동이 나올 수 있는 습관을 만들어야 한다. 자기계발, 동기부여 할 수밖에 없는 환경을 만들어야 한다.

자기계발, 동기부여 실천, 행동할 수 있는 환경이 되더라도 실천이 될까 말까인데 전혀 긴장감 없는 방구석에서 핸드폰만 클릭! 클릭! 클릭! 영상, 이미지, 메시지, 책만 보는데 행동이 나오겠는가?

책 한 권 가격은 평균적으로 15,000원이다. 유튜브 자기계발 영상, SNS 자기계발, 동기부여 영상들은 스마트폰 데이터만 어느 정도 소요되지 돈이 엄청나게 투자되는 게 아니다. 이런 것은 대가 지불이 아니다.

시행착오, 대가 지불, 인고의 시간이 무조건 들어가야만 자기계발 실천 동기부여가 잘 되는 건 아니다.
하지만 단언컨대 자기계발 실천 동기부여를 잘하는 사람들은 시행착오, 대가 지불, 인고의 시간을 무조건 거친다는 것을 명심하자.

앞에서 말했던 것을 간단히 정리하면 자기계발 실천 동기부여를 잘하려면 녹화 방송이 아닌 뇌 7개 영역을 활성화 시키는 오감을 자극 시키는 검증된 자기계발 전문가를 직접 만나서 학습, 연습, 훈련을 해야지만 실천 동기부여가 잘 된다. 오감을 더 자극 시키는 게 1:1코칭이다.

그래서 자기계발 실천 동기부여를 잘하려고 하는 리더들은 1:1코칭을 받기 위해서 교육에 투자하는 비용을 아끼지 않는다. 이 세상에서 손해 보지 않는 최고의 투자는 자신의 자기계발에 투자하는 것이다. 100%, 1,000%, 10,000% 수익률이 발생한다.

다음은 워렌버핏이 말하는 최고의 투자가 무엇인지 깨닫게 해주는 스토리텔링이다.

당신이 가난한 이유?
어차피 알려줘도 아무나 못합니다.
워렌버핏이 알려주는 부의 비밀 7가지

1. 최고의 투자 전략
워렌버핏에게 다음과 같은 질문이 들어 왔습니다.
"선생님, 어떤 자산에 가장 많이 투자해야 합니까?"
"당신이 할 수 있는 최선의 투자는 당신 자신이죠!"
"자신에게 하는 투자는 세상 어느 누구도 이를 빼앗거나 훔칠 수 없습니다. 세금도 매길 수 없습니다. 물가가 오른다고 해서 화폐가치가 떨어지지도 않습니다. 이것은 평생 동안 오롯이 당신의 소유입니다.

2. 매일 500쪽씩 읽으세요.

워렌버핏이 컬럼비아대학교 강연에서 "당신처럼 되려면 무엇부터 하면 될까요?"

워렌버핏은 가방에서 책과 신문을 한가득 꺼내놓으며 이렇게 말합니다. "매일 500쪽씩 읽으세요. 그것이 지식이 작동하는 방식이며 복리이자처럼 축적됩니다. 모두가 할 수 있지만 대부분 안 하는 방법이죠."

3. 제거의 힘.

10년 동안 워렌버핏의 전용기를 몰았던 마이클 플린트가 버핏에게 다음과 같이 물었습니다. "선생님, 어떻게 하면 목표를 이룰 수 있을까요?" 그러자 버핏은 잠시 생각하더니 조종사에게 이렇게 시켰습니다.

"자네가 이번 생에 이루고 싶은 목표 25가지를 적어와 보게!" 조종사는 25가지 목표를 다 적어 왔습니다. 버핏은 잠시 이를 살펴보더니, 조종사에게 "이 중 가장 중요한 5가지를 동그라미를 치게나!" 시켰습니다. 조종사가 어렵게 5가지를 골라 동그라미를 치며 말했습니다. "나머지 20가지도 정말 중요한 건데요. 틈틈이 이루도록 노력하겠습니다." "아니 틀렸네!! 자네가 선택한 5가지 목표를 달성하기 전까지는 나머지 목표는 거들떠보지도 말게!" 과감하게 불필요한 일들을 제거하십시오. 그럼, 가장 중요한 일에 모든 것을 쏟아부을 수 있습니다.

4, 의사소통 능력을 키워라.

"먼저, 의사소통 능력을 키워라. 글을 통해서나, 직접 만나서 대화하는 기술을 키우는 건 당신의 가치를 50% 이상 상승시킬 것이다." 버핏은 어렸을 때 대중연설을 극도록 싫어했으나 성공하려면 의사소통 능력이 필요하다는 것을 알았습니다. 결국 그는 대중 연설 코스에 등록하였고, 대중 연설에 대한 두려움을 깰 수 있었습니다.

5. 더 나은 사람들과 함께하라.

버핏 회장은 "당신이 '더 나은 사람들'(high-grade people) 과 함께 시간을 보낸다면, 그 사람들처럼 행동하게 될 것"이라고 말했다. 그는 이어 "당연하지만, 당신보다 좋지 않은 사람들 주변에서 시간을 보내면, 당신은 아래로 추락하기 시작할 것"이라며 "그게 세상이 돌아가는 방식"이라고 설명했다.

6. 소음을 무시하라.

버핏 회장은 투자할 때 '너무 많은 정보'는 독이라고 조

언했다. 그는 "하루 종일 주식시장을 확인하고, 뉴스를 듣는 행위는 도움이 되지 않는다."며 투자가 감정적으로 변할 수 있다고 충고했다. 투자는 감정을 자극합니다. 누구도 미래의 주가가 어떤 방향으로 움직일지 알 수 없습니다. 결국 최선의 전략은 시장이 아무리 요동칠지라도 냉정한 판단을 유지하는 것과 자신만의 길을 가는 것입니다.

7. 위기가 닥쳤을 때 실력이 드러난다.
모든 것이 잘 풀릴 때는 안 좋은 요소들이 잘 보이지 않습니다. 하지만 수영장에서 물이 빠져나가면 발가벗고 수영하는 사람이 누구인지 볼 수 있습니다. 물이 가득 찬 수영장에서는 누구나 우아하게 수영을 하는 것처럼 보입니다. 그러나 물이 죽 빠지고 나면, 누가 벌고 벗고 있는지 훤하게 알 수 있다는 것입니다. 위기가 닥쳤을 때 비로소 투자자의 진짜 실력이 드러납니다.

<유튜브 북올림>

어떻게 하면 자기계발을 잘 할 수 있을까? **자기계발 잘 하는 사람들의 교육, 영상을 듣고 싶은데 저 사람이 검증된 자기계발 전문가인지 자기계발을 잘 하는지 못 하는지 어떻게 알까? 그래서 자기계발 잘하는 사람의 기준, 자기계발 잘하는 사람을 찾는 방법을 오픈 하겠다.**

★ 20,000명 심리 상담, 코칭 하면서 알게 된 리더 자기계발, 동기부여 비밀!

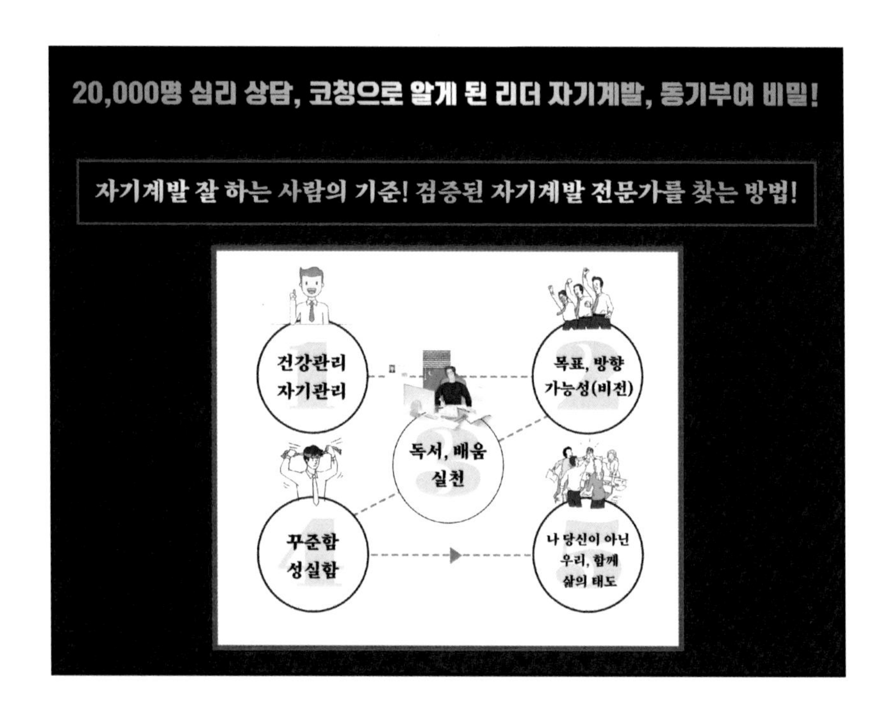

※ 자기계발 잘 하는 사람의 5가지 기준!

첫 번째, 자기 관리, 건강관리를 잘하는 사람.

모든 시작은 자기 관리, 건강에서 시작한다. 자기 관리가 안 돼서 몸이 아프면 모든 게 만사가 귀찮다. 몸이 아프면 부정적인 생각이 드는 게 사람의 심리다. 바디갑이 자존감, 멘탈 갑이듯 자기 관리, 건강관리가 잘 돼야 마인드 컨트롤이 잘 되서 자신 삶의 페이스 유지를 잘 할 수 있다.

자기 관리, 건강관리를 잘하는 사람이 주위에 있는가? 내가 그런 사람이 아니라면 주변에 자기관리, 건강관리 잘 하는 사람이 대부분 없다. 상대방이 자기계발을 잘하는 사람인지 아닌지 알 수 있는 방법은 가장 먼저 밝은 표정인지, 말투에서 힘이 느껴지는지, 모습이 자기 관리, 건강관리가 잘 되어 보이는지 이런 것들을 보고 판단할 수 있다. 그래서 필자는 320가지 자기계발 습관 중에 50%가 자기 관리, 건강관리다.

두 번째, 목표, 방향, 가능성(비전)이 있는 사람.

"저 사람 옆에 있으면 나도 변할 수 있겠다. 나도 무엇이든 되겠다. 저 사람은 내가 좋은 사람이 되고 싶도록 만들어!" "저 사람과 함께라면 나도 가능성이 있겠다." 라는 함께 하고 싶다는 마음을 주는 사람이다.

리더라면 누구나 이런 사람이 되고 싶어 할 것이다. 그래서 필자도 이런 사람이 되기 위해서 가치, 비전, 목표, 방향, 가능성을 높이기 위해 실천했다. 사람마다 다르겠지만 필자의 결과물이 50개였다면 5,000,000배 시행착오, 대가 지불, 인고의 시간이 들어갔다. 이제는 시행착오, 대가 지불, 인고의 시간을 단축시키는 기술력을 익히게 되었다. 그 결과물들 벤치마킹해서 당신답게 만들길 바란다.

최보규 방탄자기계발 전문가의
가치, 비전, 목표, 가능성!
꿈을 이루면 누군가에게도 꿈이 된다!

Google 자기계발아마존 | YouTube 방탄자기계발 | NAVER 방탄자기계발사관학교 | NAVER 최보규

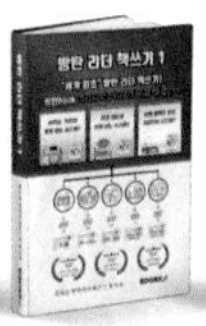

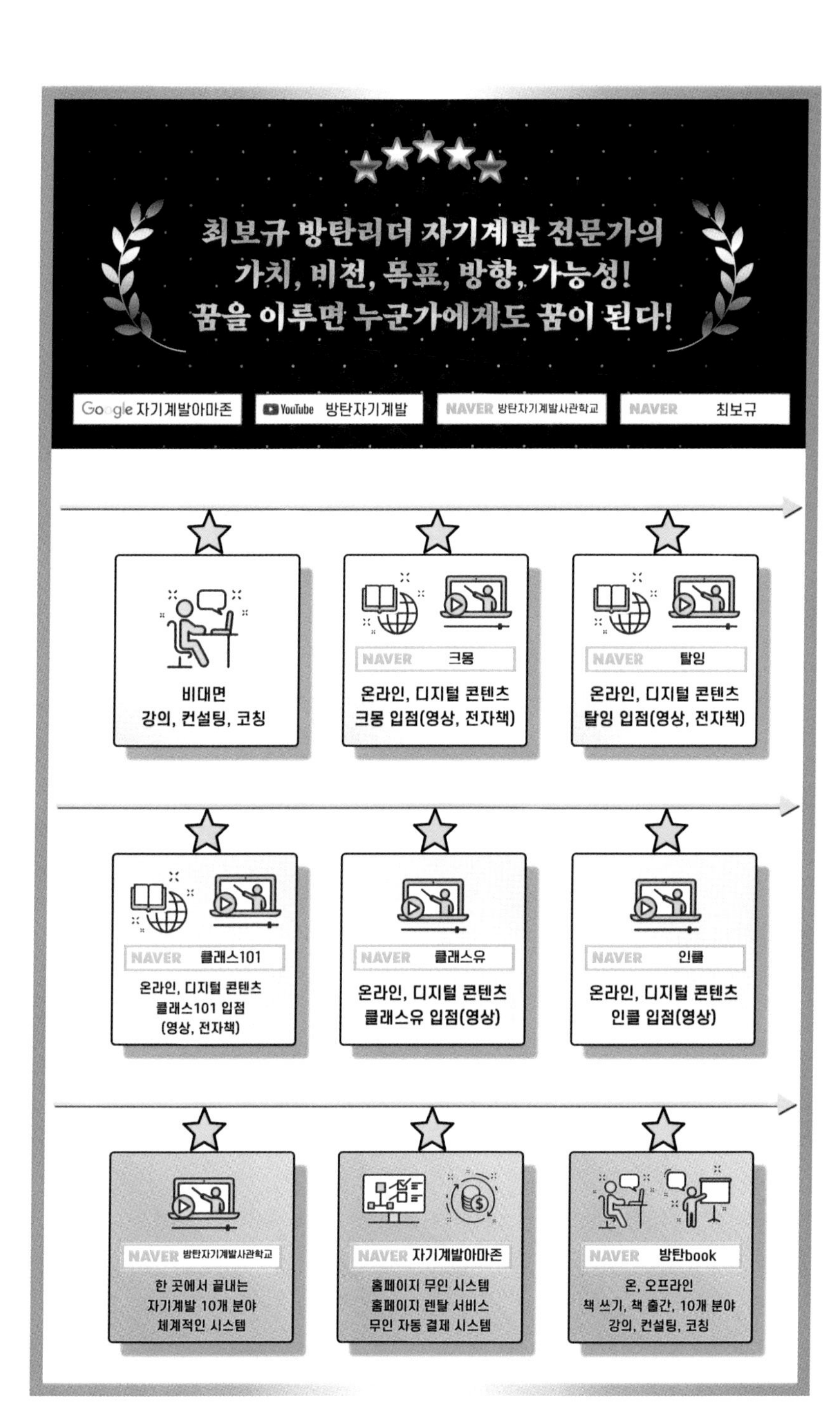

최보규 방탄리더 자기계발 전문가의
가치, 비전, 목표, 방향, 가능성!
꿈을 이루면 누군가에게도 꿈이 된다!
Google 자기계발아마존
YouTube 방탄자기계발
NAVER 방탄자기계발사관학교
NAVER 최보규
비대면
강의, 컨설팅, 코칭
NAVER 크몽
온라인, 디지털 콘텐츠
크몽 입점(영상, 전자책)
NAVER 탈잉
온라인, 디지털 콘텐츠
탈잉 입점(영상, 전자책)
NAVER 클래스101
온라인, 디지털 콘텐츠
클래스101 입점
(영상, 전자책)
NAVER 클래스유
온라인, 디지털 콘텐츠
클래스유 입점(영상)
NAVER 인클
온라인, 디지털 콘텐츠
인클 입점(영상)
NAVER 방탄자기계발사관학교
한 곳에서 끝내는
자기계발 10개 분야
체계적인 시스템
NAVER 자기계발아마존
홈페이지 무인 시스템
홈페이지 렌탈 서비스
무인 자동 결제 시스템
NAVER 방탄book
온, 오프라인
책 쓰기, 책 출간, 10개 분야
강의, 컨설팅, 코칭

최보규 방탄리더 자기계발 전문가의
가치, 비전, 목표, 방향, 가능성!
꿈을 이루면 누군가에게도 꿈이 된다!
온라인, 디지털 콘텐츠 연결 시켜
50층 온라인 건물주!

Google 자기계발아마존 | YouTube 방탄자기계발 | NAVER 방탄자기계발사관학교 | NAVER 최보규

온라인 플렛폼 디지털 플렛폼	온라인, 디지털 콘텐츠 수입 발생 (무인 시스템)	100년 월세, 연금 발생
자기계발아마존 1층 ~ 3층	온라인 건물주 되는 자격증 교육! 온라인 강사코칭전문가2급 온라인 자기계발코칭전문가2급 / 리더십코칭전문가2급 자존감, 멘탈, 습관, 행복, 사랑, 웃음, 강사, 책쓰기, 유튜버, 리더십 10개 분야 코칭 / 영상 / 전자책	자격증, 재교육, 강사섭외 코칭, 종이책 전자책 수입 발생
클래스유 4층	자신 분야 삼성(진정성, 전문성, 신뢰성)을 높여 제2수입, 3수입 올리는 방탄자기계발 재태크 / 영상	영상, 자격증, 강사섭외, 코칭 종이책, 전자책 수입 발생
클래스101 5층 ~ 15층	강사 분야, 사랑 분야, 습관 분야, 자존감 분야 행복 분야, 자기계발 분야 영상 원포인트 클래스 / 전자책	영상, 강사섭외, 코칭 종이책, 전자책 수입 발생
크몽 16층 ~ 22층	강사 분야, 사랑 분야, 습관 분야 자존감 분야, 행복 분야, 자기계발 분야 영상 / 코칭 / 전자책	영상, 자격증, 강사섭외, 코칭 종이책, 전자책 수입 발생
탈잉 23층 ~ 25층	자존감 분야, 습관 분야, 행복 분야 영상 / 전자책	강사섭외, 코칭 종이책, 전자책 수입 발생
인클 26층	4차 산업시대는 4차 자기계발인 방탄자기계발 재테크 / 영상	영상, 자격증, 강사섭외, 코칭 종이책, 전자책 수입 발생
온라인 서점 디지털 서점 27층 ~ 50층	출간 한 31권 자기계발서 종이책 , 전자책	검증된 전문가 강사료 10배 상승

세 번째, 책을 꾸준하게 보고 실천하는 사람.
책을 많이 읽는 사람인지 아닌지 대화 5분만 해봐도 알 수 있다. 책을 많이 보는 사람의 대화와 책을 아예 안 읽는 사람의 대화는 완전히 다르다. 표정, 행동, 기운이 다르다.

우종만 박사님이 이런 말을 했다. 아는 것이 힘이던 시대는 지났다. 생각이든 결심이든 실천이 없으면 아무 소용이 없다. 쓰레기 된다. 하는 것이 힘이다. 1%를 하더라도 실천하는 자가 행복한 사람이다.

그래서 필자는 한 달에 15권씩 꾸준히 책을 읽고 15년 동안 2,000권 독서, 자기계발 책 29권을 출간하고 리더 자기계발 습관 320가지를 만들었다는 것이다. 대한민국에 리더 자기계발교육을 잘하는 사람들은 많다. 최보규 방탄리더 자기계발 전문가만큼 내공이 있는 사람은 단언컨대 세상에 없다.

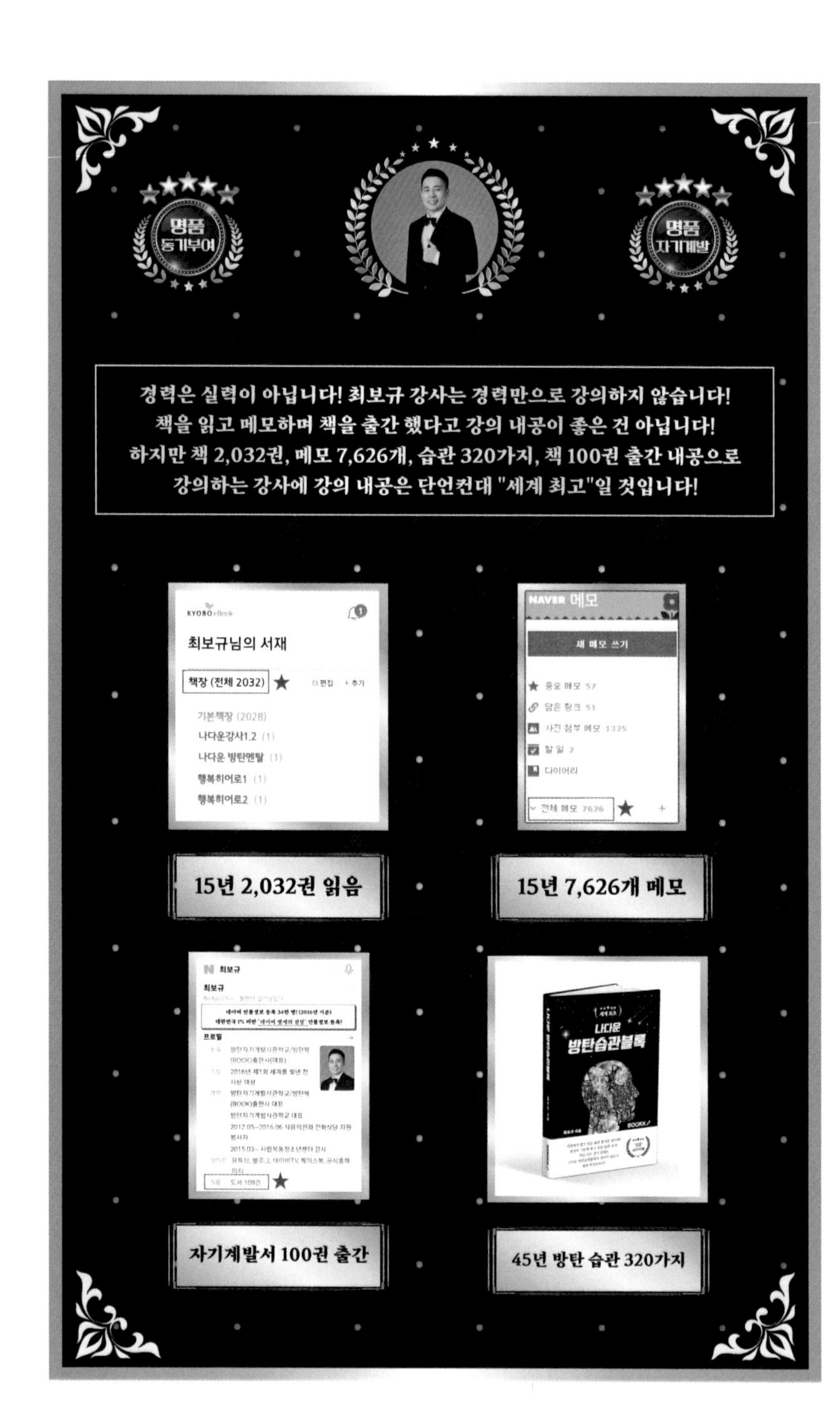
명품
동기부여
명품
자기계발
경력은 실력이 아닙니다! 최보규 강사는 경력만으로 강의하지 않습니다!
책을 읽고 메모하며 책을 출간 했다고 강의 내공이 좋은 건 아닙니다!
하지만 책 2,032권, 메모 7,626개, 습관 320가지, 책 100권 출간 내공으로
강의하는 강사에 강의 내공은 단언컨대 "세계 최고"일 것입니다!
KYOBO eBook
최보규님의 서재
책장 (전체 2032)
기본책장 (2028)
나다운강사1.2 (1)
나다운 방탄멘탈 (1)
행복히어로1 (1)
행복히어로2 (1)
NAVER 메모
새 메모 쓰기
중요 메모 57
담은 링크 51
사진 첨부 메모 1325
할 일 2
다이어리
전체 메모 7626
15년 2,032권 읽음
15년 7,626개 메모
최보규
프로필
나다운 방탄습관블록
BOOKK
자기계발서 100권 출간
45년 방탄 습관 320가지

네 번째, 꾸준히 하는 것이 많은 사람.

꾸준함 속에 성실함, 인내심, 목표, 긍정, 희망, 미래, 성장, 변화, 배움이 있다.

자동차에 연료가 없으면 움직이지 않듯 자신이 이루고자 하는 모든 것들은 꾸준함이라는 연료가 있어야 한다. 꾸준히 하고 있는 게 많으면 진짜 자기계발 잘하는 사람이다.

다음은 좌절, 실망, 실패를 겪더라도 꾸준함이 있어야만 결과를 만들어 낼 수 있다는 것을 깨닫게 해주는 스토리텔링이다.

다람쥐는 모아둔 도토리의 대부분을 잃어버린다.

두 볼 가득 도토리를 채운 다람쥐는 하루 37번을 왕복하며 겨울을 대비할 식량을 땅속에 저장한다. 하지만, 여러 군데 나누다 어느새 너무 흩어 저버린 도토리. 결국 다람쥐가 다시 찾게 되는 도토리는 겨우 1/10정도. 나머지 도토리들은 다 어떻게 된 걸까?

이듬해 봄이 돌아오면 다람쥐가 찾던 도토리들은 그렇게, 잃어버린 줄 알았던 90%의 도토리가 참나무 숲을 이루고 그 나무들은 몇 년이 지나 다람쥐들에게 수천 개의 도토리로 돌아온다. 우리에게도 도토리를 찾지 못하고 있는 시간들이 있다. 오랜 시간 최선의 노력을 기울였던 시험에서 속절없이 떨어졌을 때 오랜 기간 준비해온 것이 너무도 쉽게 물거품이 되어 버렸을 때 우리 어떠한 노력의 결과도 얻지 못한 거 같아 좌절하곤 한다.
하지만 당신의 도토리는 결코 사라진 것이 아니다.
단지 땅에서 씨앗이 되고 있을 뿐이다. 한번 생각해보라. 당신이 몇 개의 도토리를 잃어버렸는지 그리고 당신에게 몇 그루의 참나무가 열릴 것인지를 기억하자 실패는 끝이 아닌 시작이다.

<열정에 기름 붓기>

다람쥐의 양질전환 법칙을 생각해야 한다. 양이 많아야 질적으로 전환이 되는 것처럼 결과가 바로 나오지 않더라도 꾸준히 하고 있는 것이 많아야 한다. 꾸준함 속에서 어떤 것이 결과를 만들어 낼지 모르기 때문이다.

곰곰이 생각해 보자! 이 책을 보고 있는 당신은 지금 꾸준히 하고 있는 게 몇 개나 되는가?
대부분 사람들은 꾸준히 하고 있는 게 많다? 치킨을 꾸준히 먹는다. 담배를 꾸준히 피운다. 인스턴트를 꾸준히 먹는다. 정신, 몸에 무리가 가는 행동들을 꾸준히 한다.
필자는 15년 전 강사가 되고 나서 지금까지 꾸준히 하고 있는 게 책 2,000권 독서, 한 달에 15권 독서, 자기계발 습관 320가지를 만듦, 450명에게 점심 간 때 좋은 메시지, 영상 공유, 기부, 나눔을 실천 하고 있으며 생명 지킴이 심리 상담 봉사, 유튜브 5년 차, 2019년 ~ 2024년 까지 150권 출간을 꾸준히 하고 있다.

최보규 방탄자기계발 전문가의
15년 전 강사 시작 부터 꾸준함 속에 나온 결과물들
자기계발서 150권

Google 자기계발아마존 | YouTube 방탄자기계발 | NAVER 방탄자기계발사관학교 | NAVER 최보규

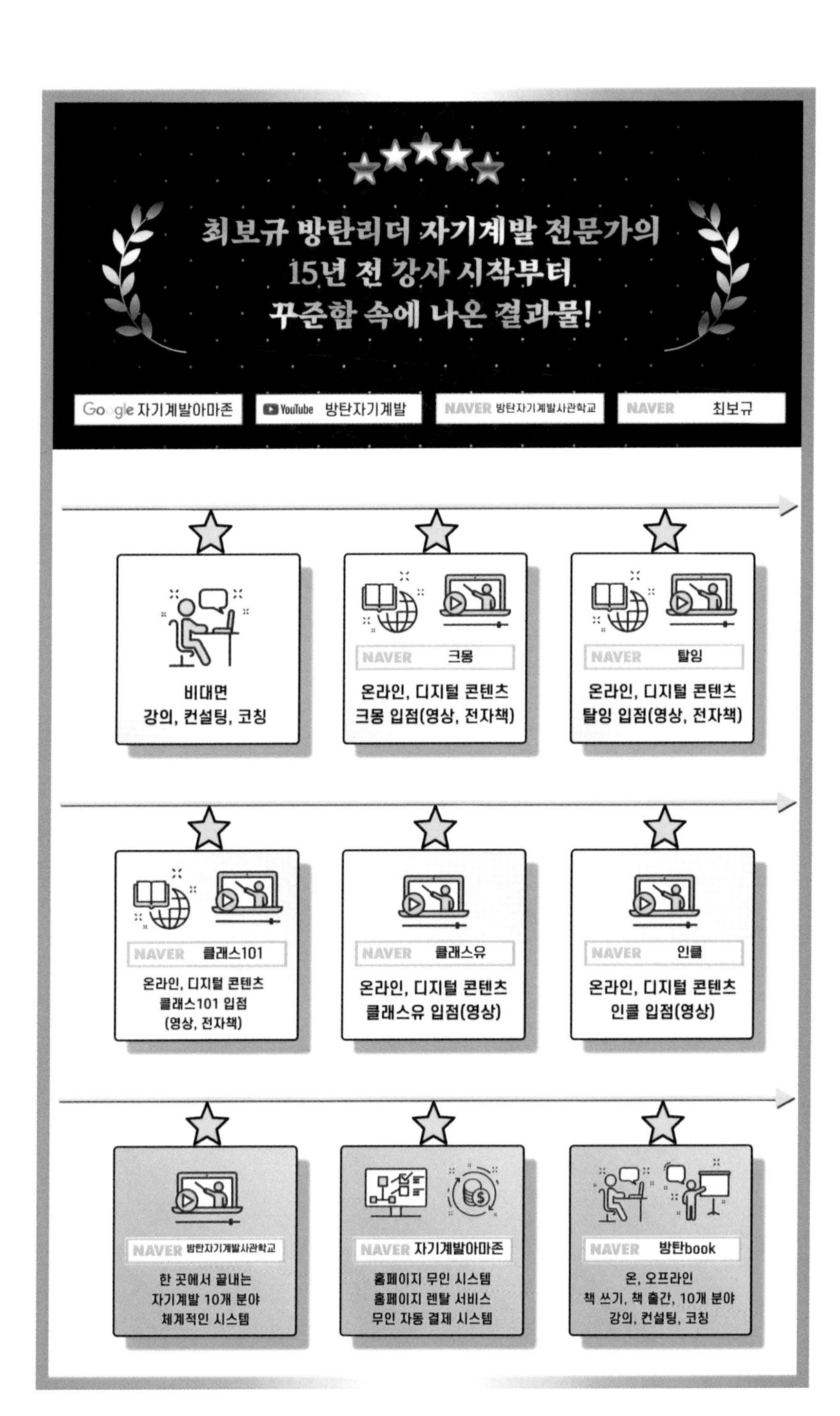
최보규 방탄리더 자기계발 전문가의
15년 전 강사 시작부터
꾸준함 속에 나온 결과물!
Google 자기계발아마존
YouTube 방탄자기계발
NAVER 방탄자기계발사관학교
NAVER 최보규
비대면
강의, 컨설팅, 코칭
NAVER 크몽
온라인, 디지털 콘텐츠
크몽 입점(영상, 전자책)
NAVER 탈잉
온라인, 디지털 콘텐츠
탈잉 입점(영상, 전자책)
NAVER 클래스101
온라인, 디지털 콘텐츠
클래스101 입점
(영상, 전자책)
NAVER 클래스유
온라인, 디지털 콘텐츠
클래스유 입점(영상)
NAVER 인클
온라인, 디지털 콘텐츠
인클 입점(영상)
NAVER 방탄자기계발사관학교
한 곳에서 끝내는
자기계발 10개 분야
체계적인 시스템
NAVER 자기계발아마존
홈페이지 무인 시스템
홈페이지 렌탈 서비스
무인 자동 결제 시스템
NAVER 방탄book
온, 오프라인
책 쓰기, 책 출간, 10개 분야
강의, 컨설팅, 코칭

최보규 방탄리더 자기계발 전문가의
15년 전 강사 시작부터
꾸준함 속에 나온 결과물!
온라인, 디지털 콘텐츠 연결 시켜
50층 온라인 건물주!

Google 자기계발아마존 | YouTube 방탄자기계발 | NAVER 방탄자기계발사관학교 | NAVER 최보규

온라인 플렛폼 디지털 플렛폼	온라인, 디지털 콘텐츠 수입 발생 (무인 시스템)	100년 월세, 연금 발생
자기계발아마존 1층 ~ 3층	온라인 건물주 되는 자격증 교육! 온라인 강사코칭전문가2급 온라인 자기계발코칭전문가2급 / 리더십코칭전문가2급 자존감, 멘탈, 습관, 행복, 사랑, 웃음, 강사, 책쓰기, 유튜버, 리더십 10개 분야 코칭 / 영상 / 전자책	자격증, 재교육, 강사섭외 코칭, 종이책 전자책 수입 발생
클래스유 4층	자신 분야 삼성(진정성, 전문성, 신뢰성)을 높여 제2수입, 3수입 올리는 방탄자기계발 재태크 / 영상	영상, 자격증, 강사섭외, 코칭 종이책, 전자책 수입 발생
클래스101 5층 ~ 15층	강사 분야, 사랑 분야, 습관 분야, 자존감 분야 행복 분야, 자기계발 분야 영상 원포인트 클래스 / 전자책	영상, 강사섭외, 코칭 종이책, 전자책 수입 발생
크몽 16층 ~ 22층	강사 분야, 사랑 분야, 습관 분야 자존감 분야, 행복 분야, 자기계발 분야 영상 / 코칭 / 전자책	영상, 자격증, 강사섭외, 코칭 종이책, 전자책 수입 발생
탈잉 23층 ~ 25층	자존감 분야, 습관 분야, 행복 분야 영상 / 전자책	강사섭외, 코칭 종이책, 전자책 수입 발생
인클 26층	4차 산업시대는 4차 자기계발인 방탄자기계발 재테크 / 영상	영상, 자격증, 강사섭외, 코칭 종이책, 전자책 수입 발생
온라인 서점 디지털 서점 27층 ~ 50층	출간 한 31권 자기계발서 종이책 , 전자책	검증된 전문가 강사료 10배 상승

다섯 번째, 함께 잘 되기 위한 행동을 많이 하는 사람.
나의 1%는 누군가에게는 살아가는 100%가 될 수 있다.
"내가 어려운 사람을 돕는 것이 아니라 어려운 사람이 내게 도울 기회를 주는 거다." 이런 마음으로 자신의 사소한 말, 표정, 행동들이 오로지 자신을 위해서가 아니라 함께 잘 되기 위한 행동들이 많은 사람이다.

한 마디로 "혼자 잘 되고 잘살자" 마인드가 아니라 "함께 잘 되고 잘살자" 마인드가 있는 사람이다.

내가 보는 게, 내가 듣는 게, 내가 행동하는 게 오로지 나를 위함이 아닌 함께 잘 살기 위한 행동이 많은 리더 자기계발을 해야 한다. 혼자만이 발전, 변화, 성장, 나음이 아닌 우리, 함께 발전, 변화, 성장, 나음이 될 수 있는 방탄리더 자기계발이 되어야 한다. 더 나아가 사회와 나라 발전에 이바지할 수 있는 방탄리더 자기계발을 해야 한다. 다음은 공생관계 스토리텔링이다.

터키 도안 통신(DHA)과 외신은 실제로 피해를 입은 남성의 유튜브와에 올라온 사연을 전했습니다. 터키 북동부의 트라브존에서 양봉업 이브라힘 세데프(Ibrahim Sedef)는 3년 전부터 상습적인 곰의 습격으로 1만 달러(한화 약 1,200만원)에 달하는 피해를 보았습니다.

그는 곰이 꿀을 훔쳐 가지 못하도록 철장 안에다 넣었습니다. 또 다른 음식을 두기도 했지만 곰의 꿀을 향한 집념을 막을 수 없었습니다. 모든 방법과 시도들이 물거품이 되자, 그는 역발상을 하게 됐습니다. 그의 양봉 농장에 카메라를 설치하였고 다양한 꿀을 나열해 놓았습니다. 그리고 밤손님 곰에게 시식을 맡긴 것이었죠. 결과는 대박이었습니다. 여러 날의 시식 결과 곰은 세데프의 안제르(Anzer) 꿀만 찾았습니다. 그는 이 촬영 영상과 함께 안제르 꿀을 쇼핑몰에 올렸고, 불티나게 그의 꿀이 팔렸습니다. 안제르 꿀은 1kg에 300달러를 호가한다고 합니다.

<유튜브 Demirören Haber Ajansı>

공생 관계인 코뿔소와 코뿔소 새, 소나무와 송이버섯, 곰치와 청소놀래기처럼 리더 자기계발은 함께 잘 살기 위한 방탄자기계발을 했을 때 더 시너지효과가 나는 것이다.

필자가 공생관계태도 리더십(20,000명 심리 상담, 코칭)을 통해 책을 쓰는데, 코칭하는데, 국가등록 민간 자격증 만드는데, 10개 분야 50시간 코칭 커리큘럼을 만드는데, 사람을 살리는데, 책 39권을 출간하는데, 도움이 되어 수익도 창출하고 100조의 가치를 얻을 수 있었다.

필자는 15년 동안 20,000명을 심리 상담, 코칭 하면서 늘 함께 잘 되기 위해서 상담, 코칭을 했고 습관을 만들었고 39권의 출간한 책 내용도 함께 잘 되기 위한 내용이며 유튜브를 찍더라도 작은 거라도 도움을 주기 위해서 노하우를 오픈하고 있다.

최보규 방탄리더십 전문가의 말, 표정, 행동에서 "함께 잘 되고 잘 살자" 마인드로 표현하는지 자기 자신만 생각하고 말, 표정, 행동하는지는 대화 30분만 해보면 알 것이다.

"함께 잘 되고 잘 살자" 마인드가 어떤 표현인지 어떤 것인지 30분 안에 느끼고 싶다면 무료 상담 받아 보라.
<최보규 방탄리더십 창시자 010-6578-8295>
단언컨대 30분 안에 "함께 잘 되고 잘 살자" 마인드가 어떤 것인지 느끼게 해줄 수 있다.

방탄리더 자기계발을 통해 리더는 인재를 알아볼 수 있는 기술을 쌓아야 한다. 인재를 알아보고 인재를 양성하는 것도 스펙이고 기술력이다. 30분만 대화를 해보면 함께 하고 싶은 사람인지 멀리하고 싶은 사람인지 느낄 수 있어야 걸러낼 수 있다. 리더는 함께 할 사람인지 걸러내야 할 사람인지 구분을 할 수 있어야만 조직체가 튼튼해진다. 그러기 위해서는 리더가 일반 자기계발이 아닌 방탄리더 자기계발을 해야 한다. 방탄리더 자기계발을 잘 하기 위한 최고의 방법은 방탄리더 자기계발을 잘하는 사람을 찾아야 한다. 직접 만나 배우고 꾸준히 a/s, 피드백, 관리받을 때 배움이 오래 지속되고 자생능력(스스로 할 수 있는 능력)이 생기는 것이다.

자기계발 잘하는 사람의 기준을 알면 자기계발 잘하는 사람들을 찾을 수 있다. 주위에 있는가? 잘하는 사람은 있지만 검증된 사람은 아마 없을 것이다. 검증된 사람에게 코칭을 받아야 돈과 시간 낭비를 줄일 수 있다,

교육, 코칭을 받더라도 순간 단타로 끝나는 것이 아니라 함께 잘 되기 위해서 한 번의 코칭으로 150년 A/S, 관리, 피드백해 줄 수 있는 코칭 과정이 대한민국에 있을까?

세상에 필자보다 자기계발 코칭을 잘하는 사람은 많다. 단언컨대 최보규 방탄자기계발 전문가보다 코칭 받는 사람을 사랑으로 150년 a/s, 피드백, 관리, 코칭해 주는 검증된 전문가는 대한민국에 없다! 세계에 없다!

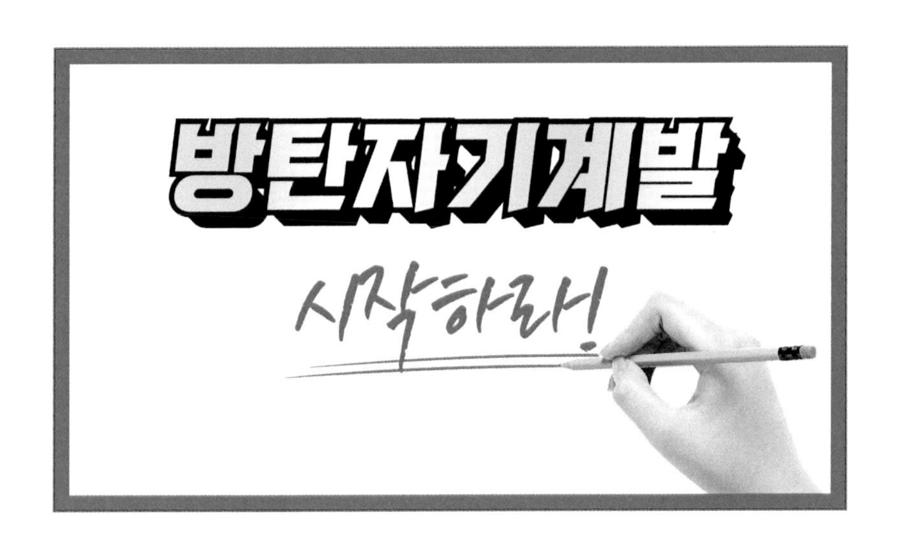

지금 인생, 내 분야, 변화하고 싶은데?
계기를 만들고 싶은데?
지금 이대로는 안되겠다고 생각만 하시죠?

지금처럼 살면 안 되는데…
지금부터 살아야 되는데…
때를 기다리면 안 되는데…
때를 만들어 가고 싶은데…

당신의 **자기계발 습관**은
어떤가요?

혹시?
혹시?
혹시?

설마?
설마?
설마?

유튜브 자기계발 영상 100개
자기계발 강의 100개
자기계발 책 100권 보면

가능할 거라 생각하세요?
해 봤잖아요. 안된다는 거!

인생을 바꾸는 **방.탄.자.기.계.발.습.관**

기초부터

자생능력: 스스로 할 수 있는 능력

자생능력이
생길 때까지

학습.연습.훈련

#1
자생능력
1:1 맞춤 자기계발 프로그램
자생능력: 스스로 할 수 있을 능력 향상

#2
개인코칭
개인별 자기계발 코칭
150년 a/s, 관리, 피드백
자기계발 주치의가 늘 함께 한다

이제는 자기계발 하면서

돈까지 벌 수 있는

수입 창출 자기계발 무인시스템 제작

방탄자기계발

1:1 코칭

한번 코칭, 회원제로

무한반복 학습.연습.훈련

세계 최초 150년 a/s, 피드백, 관리 시스템!

빠른 상담, 선택이 곧 변화, 성장, 실력 차이!

4차 산업시대에 맞는 4차 인재양성
4차 자기계발인 방탄자기계발
선택한 자가

나다운 인생으로 바꾸는
방탄자기계발 습관으로
바꾸고
싶다면

자기계발아마존에서 방탄자기계발
영상시청, 1:1 코칭이 답이다!

차별화가 아닌 초월 방탄자기계발 학습, 연습, 훈련

세계 최초! 자기계발계의 혁신!
방탄자기계발기술력

한분야 전문성으로는 힘든시대
방탄자기계발기술력

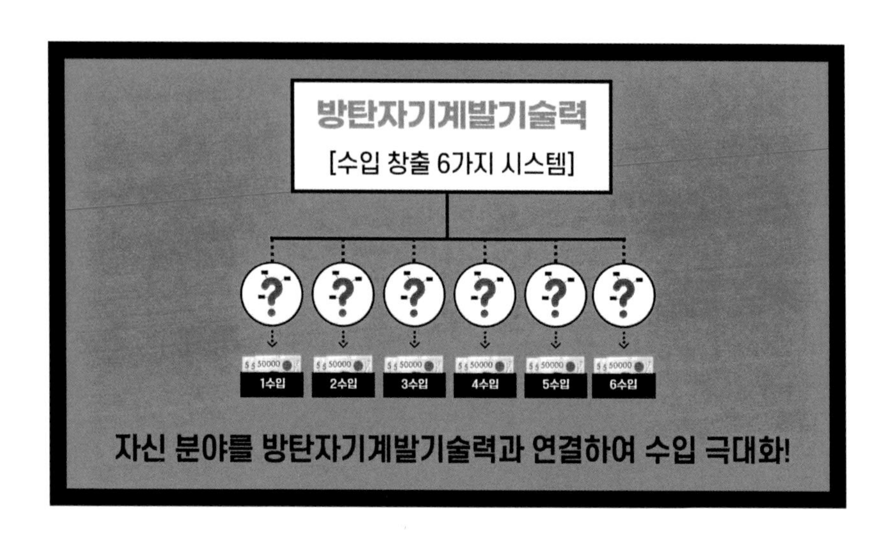
방탄자기계발기술력
[수입 창출 6가지 시스템]
1수입
2수입
3수입
4수입
5수입
6수입
자신 분야를 방탄자기계발기술력과 연결하여 수입 극대화!

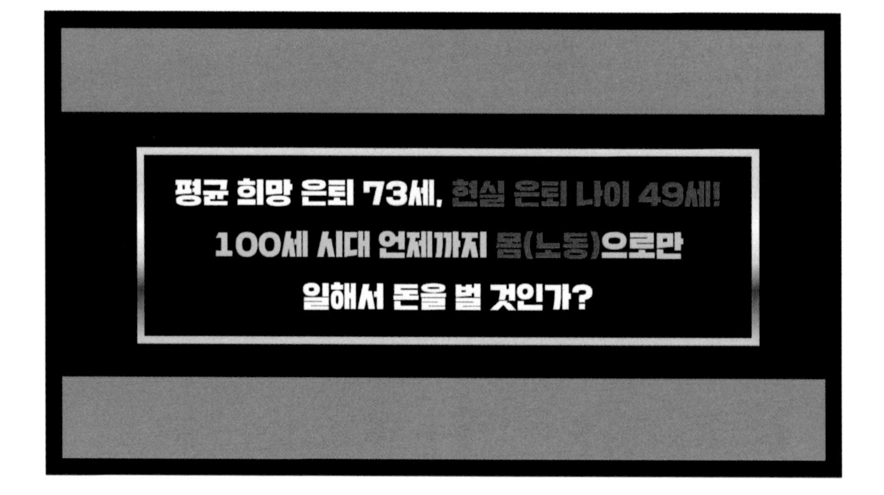
평균 희망 은퇴 73세, 현실 은퇴 나이 49세!
100세 시대 언제까지 몸(노동)으로만
일해서 돈을 벌 것인가?

세상, 현실 기준에서 스펙, 돈, 인맥, 자산 등이 없어서 100세까지 노동을 해야 되고 몸까지 아프면 더 답이 없는 상황! 젊을 때는 100가지 중 99가지를 할 수 있지만 나이 들면 100가지 중 99가지를 할 수 없다. 3고 시대, AI 시대, 챗 GPT 시대에 자신의 직업이 사라 질 수 있는 상황에서 어떻게 준비, 대비할 것인가?

지금처럼 하면 진짜 큰일 난다.
정신 바짝 차리자!
자신을 못 믿겠으면 자신을 믿어주는
최보규 코칭전문가를 믿고 시작하자!

방탄자기계발기술력
선택이 아닌 필수!
세계 최초
방탄
자기계발
기술력

최보규 대표
상담, 코칭, 강의, 컨설팅 문의
010-6578-8295
당신을 위한 방탄자기계발기술력은 천재일우
천재일우: 천 년에 한 번 만난다는 뜻으로 좀처럼 만나기 어려운 기회
www.자기계발아마존.com
Google 자기계발아마존
YouTube 방탄자기계발
NAVER 자기계발아마존
NAVER 최보규

우주 최강 책임감!
'세계 최초' 150년 a/s, 피드백, 관리 시스템
인스턴트 인연이 아닌 손 뻗으면 닿는
몸, 머리, 마음 케어를 해주는 주치의가 되어 드립니다.

CKOI
BO
KYU
"어제보다 나은
사람이 되자!"
방탄자기계발 창시자
최보규 원장
010-6578-8295
nice5889@naver.com

“미래를 위한
확실한 선택”
올바른 성공으로 가는 가장 빠른 지름길!
방탄자기계발 전문가
최보규 원장
010-6578-8295
nice5889@naver.com

강한 사람, 우수한 사람이 살아남는 게 아니다.
시대에 맞게 변화하는 사람만 살아남는다.

기회는 오는 게 아니다
만들어 가는 것이다!

선택하라!

때를 기다리는 사람
때를 만들어 가는 사람
당신 인생의 **주인공은**

자기계발아마존

www.자기계발아마존.com

300만원 동기부여 강의
동기부여
초고속 충전
UP

Newspaper
3고 시대
August. 2024
고물가, 고금리, 고환율 어떻게 극복?

Newspaper
통계청 은퇴 나이 49세
August. 2024
20대 은퇴 예정자? 30대 은퇴 확정자? 40대 은퇴 위험군?

Newspaper
자신 분야 제2, 3수입
August. 2024
앞으로는 한분야 전문성으로 답이 없다!

지금 우리에게는
강력한 동기부여가 필요하다!
START

지금 자신 분야, 앞으로 자신 분야
동기부여 해줄 사람

특허청 등록
최보규 자기계발코칭 창시자
등록 번호: 제 40-2072344 호
GANGSAYA
특허청 등록으로 검증된 강사!
방탄 동기부여/리더십/자기계발
특허청 등록
최보규 리더동기부여 코칭전문가
등록 번호: 제 40-2128786호
대한민국 강사 섭외 NO1 '강사야'
'강사야' "대표 동기부여 일타강사 최보규"

세계 최초
방탄 동기부여

Body(몸)
동기부여
Head(머리)
동기부여
Mind(마음)
동기부여

최보규 동기부여 일타강사
300만원
동기부여 강의

REC
PART 0
세상 모든 사람의 마음을 열게 하는 동기부여
▪ 집중기법 동기부여
▪ 아이스브레이킹 동기부여
▪ 라포형성 동기부여
자세히보기
NAVER 300만원동기부여
NAVER 최보규
Google 자기계발아마존
YouTube 방탄자기계발

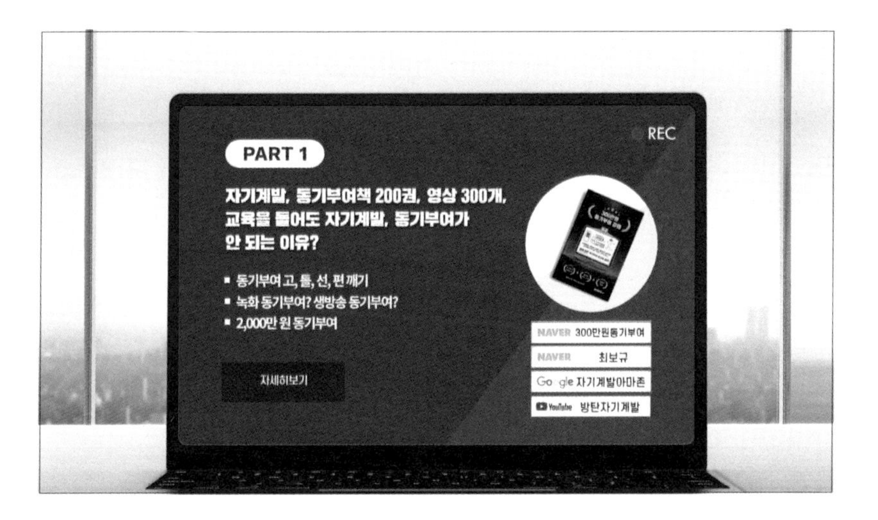
REC
PART 1
자기계발, 동기부여책 200권, 영상 300개, 교육을 들어도 자기계발, 동기부여가 안 되는 이유?
▪ 동기부여 고, 틀, 선, 편 깨기
▪ 녹화 동기부여? 생방송 동기부여?
▪ 2,000만 원 동기부여
자세히보기
NAVER 300만원동기부여
NAVER 최보규
Google 자기계발아마존
YouTube 방탄자기계발

REC
PART 2
노력이 배신하는 시대!
배신 안 당하기 위한
올바른 노력 동기부여
노오력 동기부여? 올바른 노력 동기부여?
경력은 스펙이 아니다!
대체 불가능한 사람
자세히보기
NAVER 300만원동기부여
NAVER 최보규
Google 자기계발아마존
YouTube 방탄자기계발

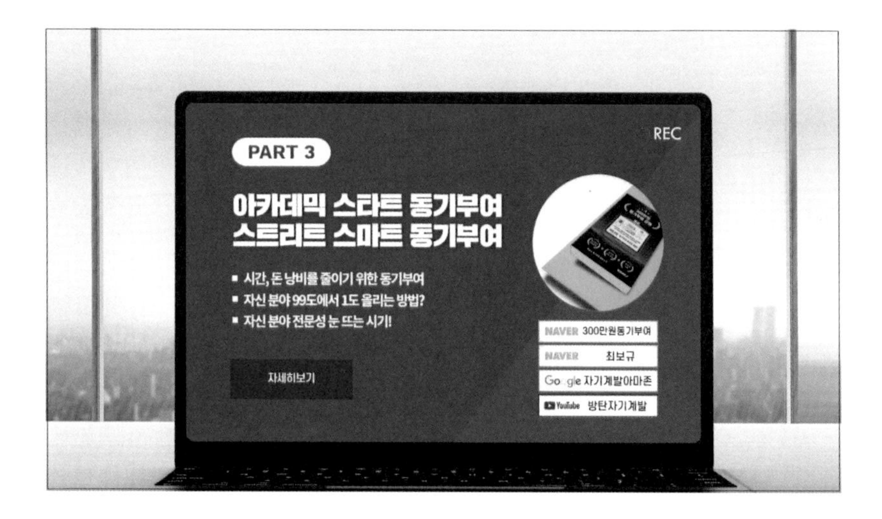
REC
PART 3
아카데믹 스타트 동기부여
스트리트 스마트 동기부여
시간, 돈 낭비를 줄이기 위한 동기부여
자신 분야 99도에서 1도 올리는 방법?
자신 분야 전문성 눈 뜨는 시기!
자세히보기
NAVER 300만원동기부여
NAVER 최보규
Google 자기계발아마존
YouTube 방탄자기계발

REC
PART 4
세상에서 가장 강력한
동기부여는 000이다!
00의 중요성!
■ 멘토가 필요 없는 사람은 신뿐이다?
■ 주둥이 파이터들 말에 흔들리지 않는 방법!
■ 자신 동기부여 시켜줄 사람 찾는 5가지 방법
자세히보기
NAVER 300만원동기부여
NAVER 최보규
Go gle 자기계발아마존
YouTube 방탄자기계발

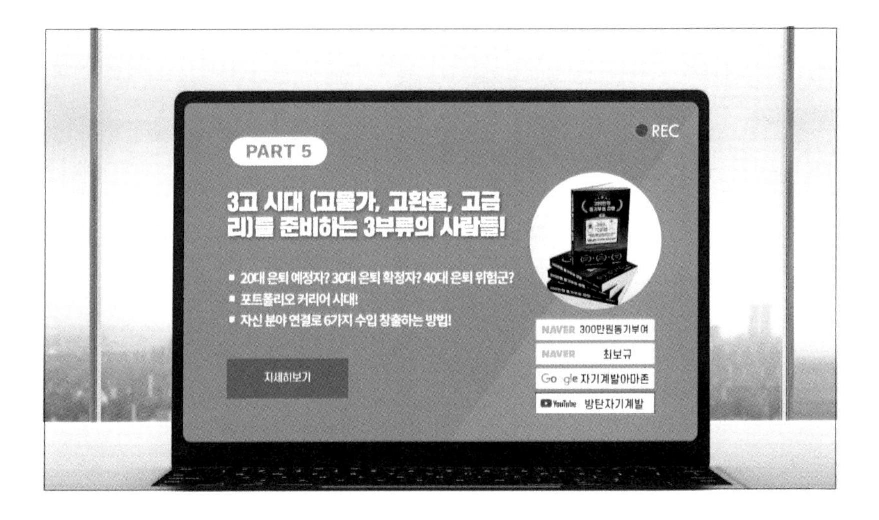
REC
PART 5
3고 시대 (고물가, 고환율, 고금
리)를 준비하는 3부류의 사람들!
■ 20대 은퇴 예정자? 30대 은퇴 확정자? 40대 은퇴 위험군?
■ 포트폴리오 커리어 시대!
■ 자신 분야 연결로 6가지 수입 창출하는 방법!
자세히보기
NAVER 300만원동기부여
NAVER 최보규
Go gle 자기계발아마존
YouTube 방탄자기계발

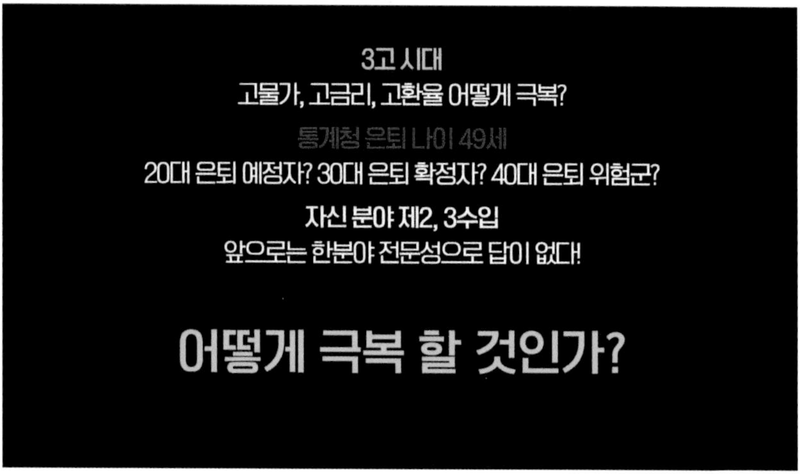

3고 시대
고물가, 고금리, 고환율 어떻게 극복?
통계청 은퇴 나이 49세
20대 은퇴 예정자? 30대 은퇴 확정자? 40대 은퇴 위험군?
자신 분야 제2, 3수입
앞으로는 한분야 전문성으로 답이 없다!

어떻게 극복 할 것인가?

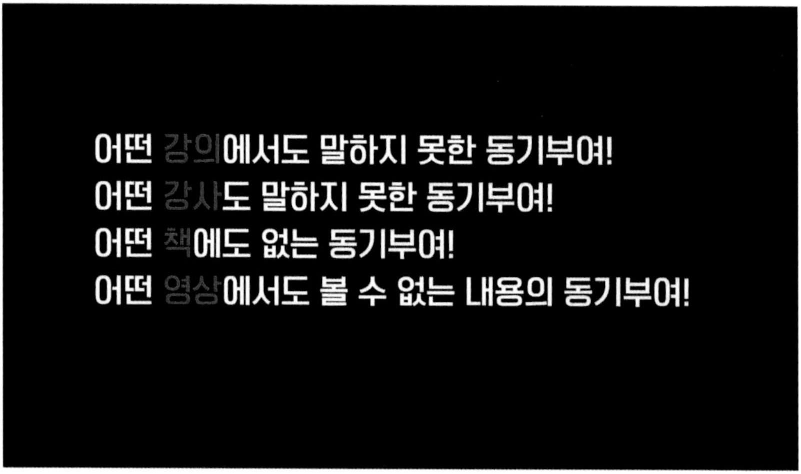

어떤 강의에서도 말하지 못한 동기부여!
어떤 강사도 말하지 못한 동기부여!
어떤 책에도 없는 동기부여!
어떤 영상에서도 볼 수 없는 내용의 동기부여!

300만원
동기부여 강의
동기부여
UP
스마트폰은 사용하지 않아도 배터리가 소모되듯
동기부여 또한 숨만 쉬어도 소모가 된다.
"세계 최초" 동기부여 초고속 충전!
Google 자기계발아마존
YouTube 방탄자기계발
NAVER 300만원동기부여
NAVER 최보규

해보자! 해보자! 지금 부터 해보자!
해보자!
해보자!
자신의 가능성 (사과씨, 도토리, 포도씨) 믿으세요!
사과씨 안에 얼마나 많은 사과가 있는지 모른다!
도토리 안에 얼마나 많은 도토리가 있는지 모른다!
포도씨 안에 얼마나 많은 포도가 있는지 모른다!

대한민국 강사 섭외 NO1 '강사야'
'강사야' "대표 일타 강사 최보규"
특허청 등록
특허청 등록
GANGSAYA 강사섭외 최보규
로그인 회원가입
최보규강사
특허청 등록으로 검증된 강사!
방탄 동기부여/리더십/자기계발
동기부여/리더십/자기계발 업데이트!
저서 100권의 내용을 통한 세계 최초 1+4를 주는 가성비 강사!
(강의메세지+즐거움+스토리텔링+실천 사용 설명서 제공)
Google 자기계발아마존
YouTube 방탄자기계발
NAVER 강사야
NAVER 최보규

명품 동기부여
N 최보규
네이버 인물정보 등록 34만 명! (2016년 기준)
대한민국 1% 미만 "네이버 명예의 전당" 인물정보 등록!
전체 프로필 최근활동 도서
프로필
소속 방탄자기계발사관학교/방탄북(BOOK)출판사(대표)
수상 2016년 제1회 세계를 빛낸 천사상 대상
경력 방탄자기계발사관학교/방탄북(BOOK)출판사 대표
방탄자기계발사관학교 대표
2012.05~2016.06 사랑의전화 전화상담 자원봉사자
2014.11 행복사관학교 대표
사이트 유튜브, 블로그, 네이버TV, 페이스북, 공식홈페이지
작품 ★도서 108건, 관련활동
자기계발서 150권 출간으로
삼성(진정성, 전문성, 신뢰성)이 검증된 전문가
명품 자기계발

최보규 방탄동기부여 전문가 검증된 PT, 강의, 맞춤 코칭, 컨설팅
특허청 등록
최보규 자기계발코칭 창시자
등록 번호: 제 40-2072344호
특허청 등록
최보규 리더동기부여 코칭전문가
등록 번호: 제 40-2128786호
최보규 대표
상담, 코칭, 강의, 컨설팅 문의
010-6578-8295
방탄자기계발사관학교는 국가등록 민간자격증 발급 기관! 명품 인재 양성 기관!
동기부여코칭전문가
자기계발코칭전문가
리더십코칭전문가
책쓰기코칭전문가
강사코칭전문가
동기부여 분야
자기계발 분야
리더 분야
책쓰기, 책출간 분야
강의, 강사 분야
<저자 최보규>
<저자 최보규>
<저자 최보규>
<저자 최보규>
<저자 최보규>

자신 분야
방탄자기계발
몸값 상승
디지털콘텐츠
수입(100년)
온라인콘텐츠
수입(100년)
재능 마켓
수입(100년)
멘토가 150년
A/S, 관리
불특정 다수와
비즈니스 연결
온라인 건물주
(월세, 연금성)
책 출간
(종이책, PDF)
(인세 유산)
코칭 수입
(100년)
자신 분야를 방탄자기계발과 연결 수입 창출!
은퇴 후 50년 인생 준비!

명품 동기부여
명품 자기계발
경력은 실력이 아닙니다! 최보규 강사는 경력만으로 강의하지 않습니다!
책을 읽고 메모하며 책을 출간 했다고 강의 내공이 좋은 건 아닙니다!
하지만 책 2,032권, 메모 7,626개, 습관 320가지, 책 100권 출간 내공으로
강의하는 강사에 강의 내공은 단언컨대 "세계 최고"일 것입니다!
최보규님의 서재
책장 (전체 2032)
NAVER 메모
15년 2,032권 읽음
15년 7,626개 메모
자기계발서 150권 출간
45년 방탄 습관 381가지

어제의 나는 잊어라!
지금처럼 살 것인가? 지금부터 살 것인가!
자신을 못 믿겠다면 자신을 믿어주는
최보규 방탄동기부여 전문가를 믿고 시작합시다!
세상, 현실아 덤벼라!
Body(몸), Head(머리), Mind(마음)
강하게 해드립니다.!

BTL

3고(고물가, 고환율, 고금리)시대

1조 리더십

✦ 3고시대 를 극복할 리더십 ✦

BULLETPROOF LEADER

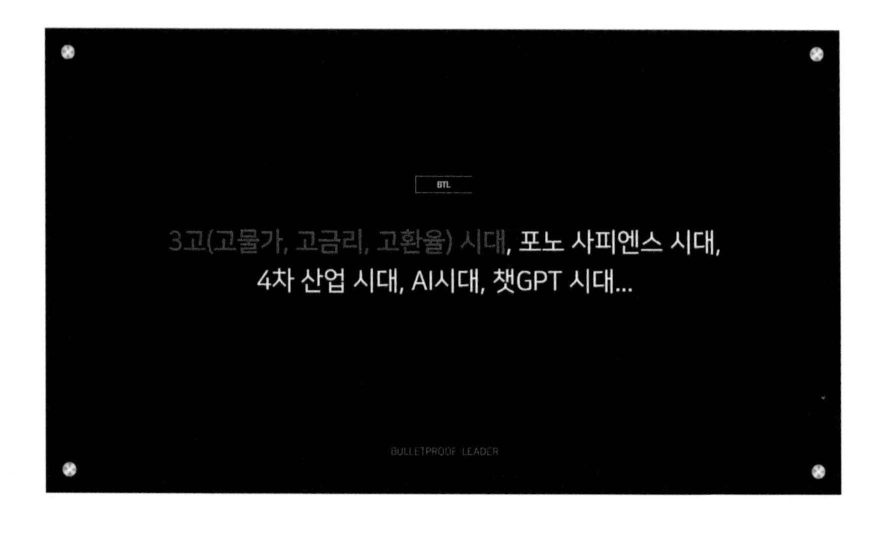
BTL
3고(고물가, 고금리, 고환율) 시대, 포노 사피엔스 시대,
4차 산업 시대, AI시대, 챗GPT 시대...
BULLETPROOF LEADER

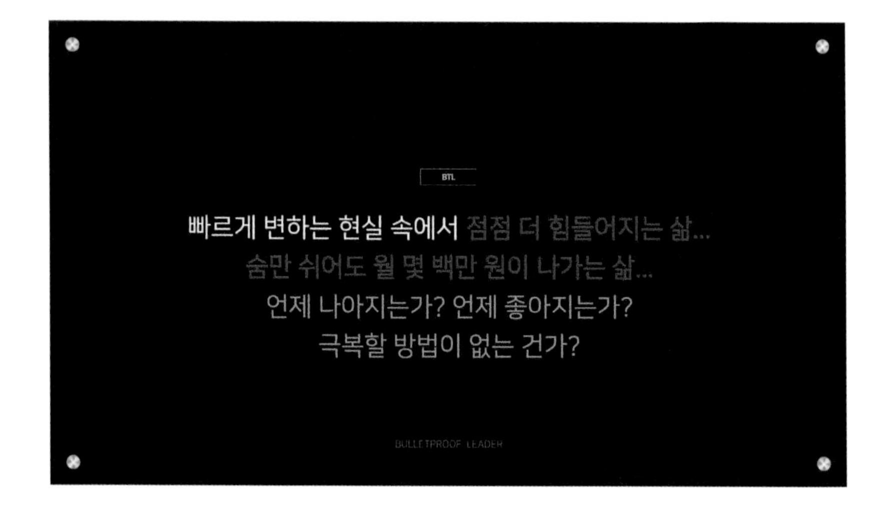
BTL
빠르게 변하는 현실 속에서 점점 더 힘들어지는 삶...
숨만 쉬어도 월 몇 백만 원이 나가는 삶...
언제 나아지는가? 언제 좋아지는가?
극복할 방법이 없는 건가?
BULLETPROOF LEADER

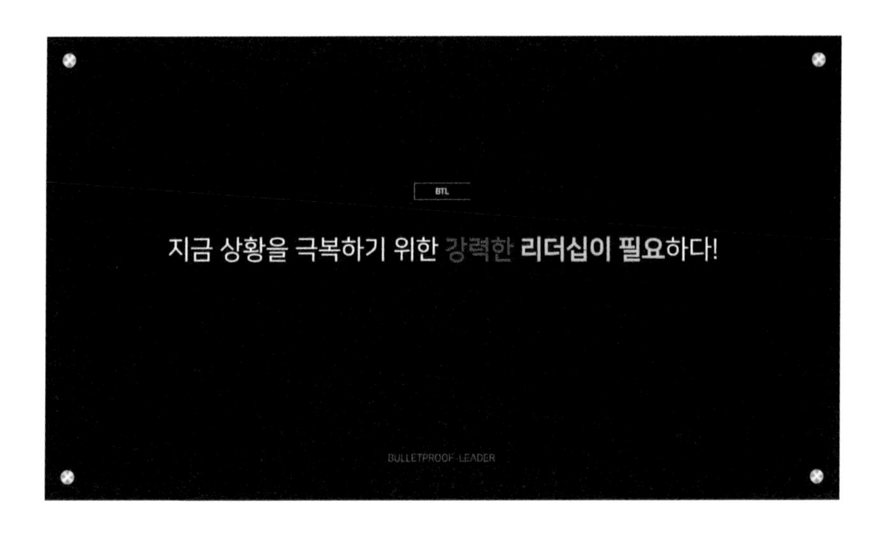
BTL
지금 상황을 극복하기 위한 강력한 리더십이 필요하다!
BULLETPROOF LEADER

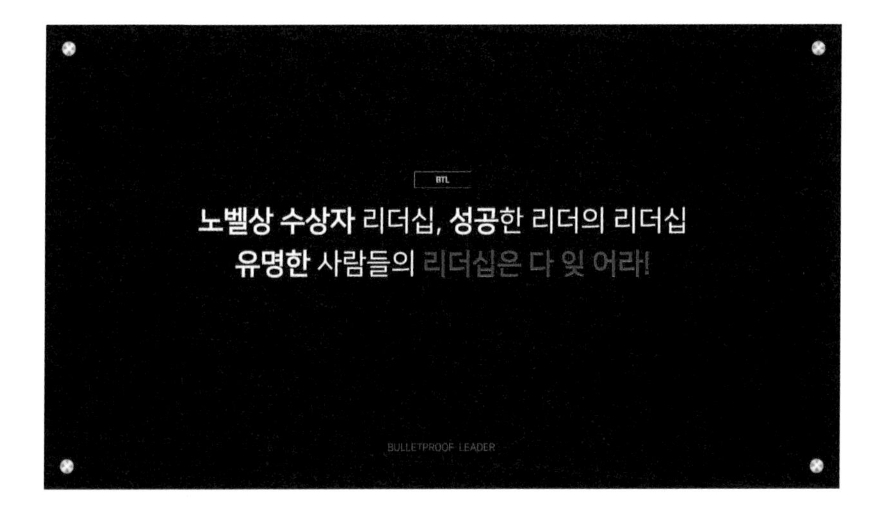
BTL
노벨상 수상자 리더십, 성공한 리더의 리더십
유명한 사람들의 리더십은 다 잊어라!
BULLETPROOF LEADER

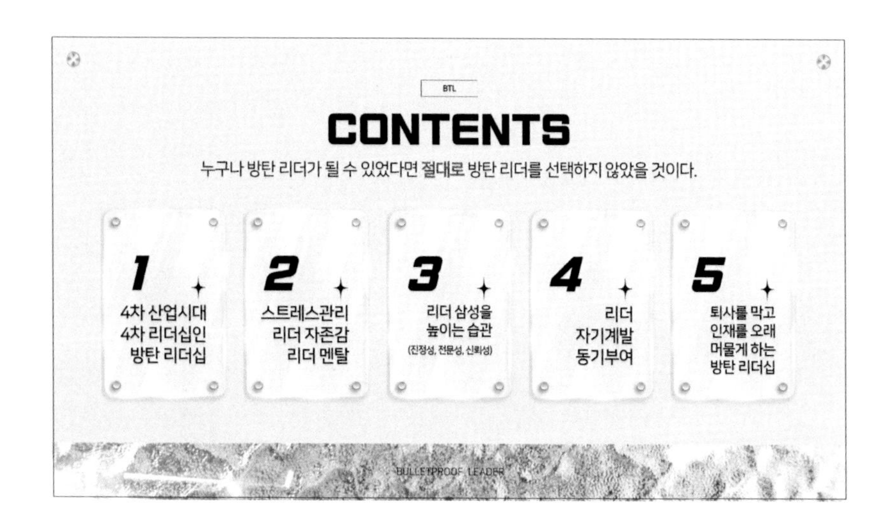
BTL
CONTENTS
누구나 방탄 리더가 될 수 있었다면 절대로 방탄 리더를 선택하지 않았을 것이다.
1
4차 산업시대
4차 리더십인
방탄 리더십
2
스트레스관리
리더 자존감
리더 멘탈
3
리더 삼성을
높이는 습관
(진정성, 전문성, 신뢰성)
4
리더
자기계발
동기부여
5
퇴사를 막고
인재를 오래
머물게 하는
방탄 리더십
BULLETPROOF LEADER

1
4차 산업시대
4차 리더십인
방탄 리더십
노벨상 수상자 리더십, 성공한 리더의 리더십은 다 잊어라!
4차 산업 시대는 4차 리더십인 방탄 리더십 업데이트를 통해
천재지변 리더가 아닌 천재일우 리더

BTL
80억 인구 80억 가지 리더십!
1조 리더십 강의
유명한 리더십 공식(책, 영상, 글)에 집착하지 말고 나다운 리더십(방탄 리더십)에 집중하자!

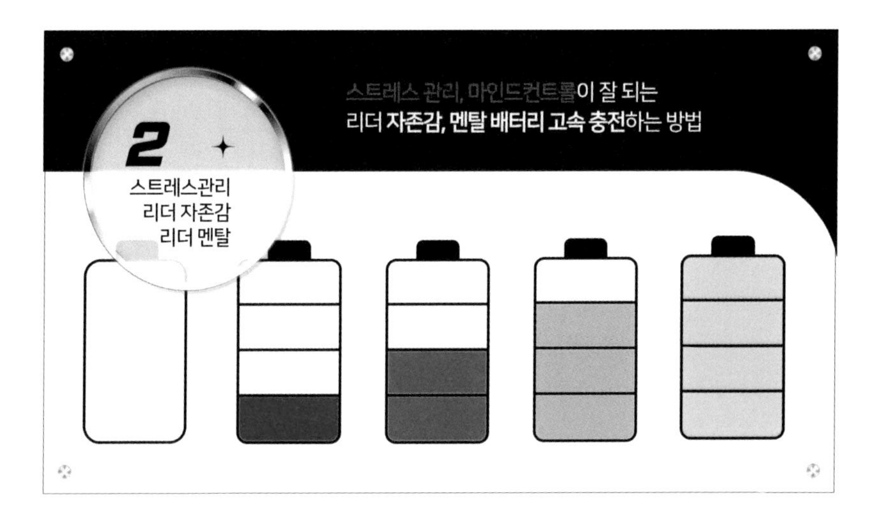
스트레스 관리, 마인드컨트롤이 잘 되는
리더 자존감, 멘탈 배터리 고속 충전하는 방법
2
스트레스관리
리더 자존감
리더 멘탈

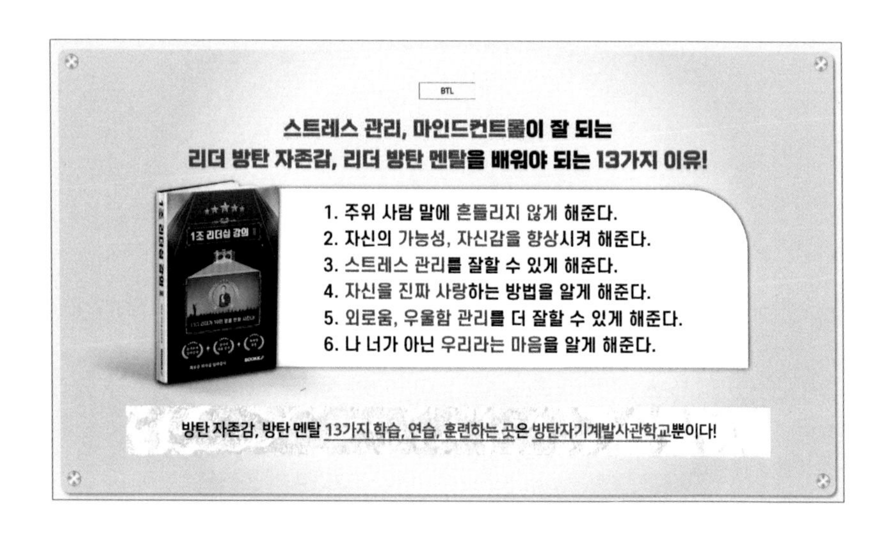
BTL
스트레스 관리, 마인드컨트롤이 잘 되는
리더 방탄 자존감, 리더 방탄 멘탈을 배워야 되는 13가지 이유!
1. 주위 사람 말에 흔들리지 않게 해준다.
2. 자신의 가능성, 자신감을 향상시켜 해준다.
3. 스트레스 관리를 잘할 수 있게 해준다.
4. 자신을 진짜 사랑하는 방법을 알게 해준다.
5. 외로움, 우울함 관리를 더 잘할 수 있게 해준다.
6. 나 너가 아닌 우리라는 마음을 알게 해준다.
1조 리더십 강의
방탄 자존감, 방탄 멘탈 13가지 학습, 연습, 훈련하는 곳은 방탄자기계발사관학교뿐이다!

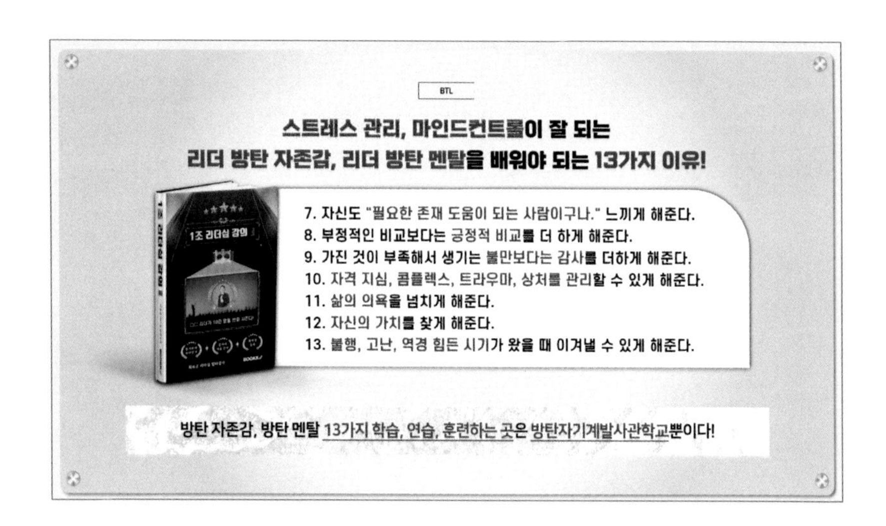
BTL
스트레스 관리, 마인드컨트롤이 잘 되는
리더 방탄 자존감, 리더 방탄 멘탈을 배워야 되는 13가지 이유!
7. 자신도 "필요한 존재 도움이 되는 사람이구나." 느끼게 해준다.
8. 부정적인 비교보다는 긍정적 비교를 더 하게 해준다.
9. 가진 것이 부족해서 생기는 불만보다는 감사를 더하게 해준다.
10. 자격 지심, 콤플렉스, 트라우마, 상처를 관리할 수 있게 해준다.
11. 삶의 의욕을 넘치게 해준다.
12. 자신의 가치를 찾게 해준다.
13. 불행, 고난, 역경 힘든 시기가 왔을 때 이겨낼 수 있게 해준다.
1조 리더십 강의
방탄 자존감, 방탄 멘탈 13가지 학습, 연습, 훈련하는 곳은 방탄자기계발사관학교뿐이다!

3
리더 삼성을
높이는 습관
(진정성, 전문성, 신뢰성)
삼성(진정성, 전문성, 신뢰성)을 높이는 습관을 통해
리더 행복 초고속 충전하는 방법

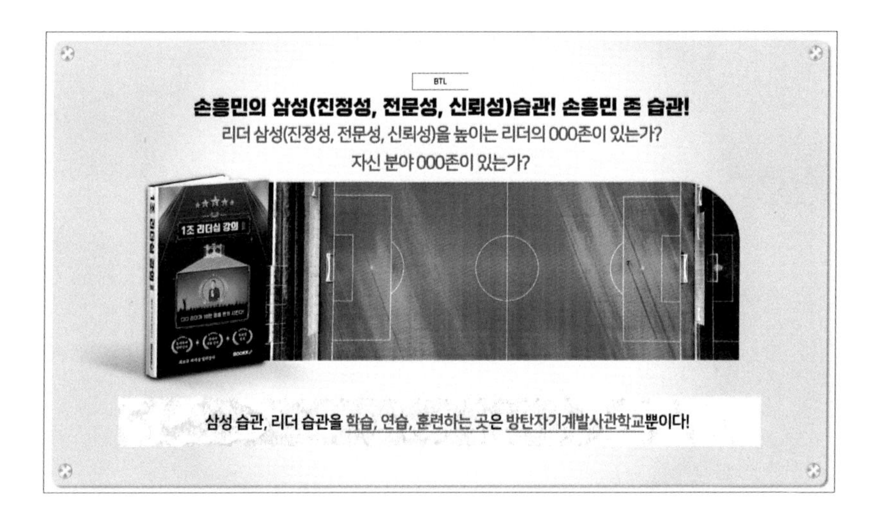
BTL
손흥민의 삼성(진정성, 전문성, 신뢰성)습관! 손흥민 존 습관!
리더 삼성(진정성, 전문성, 신뢰성)을 높이는 리더의 000존이 있는가?
자신 분야 000존이 있는가?
1조 리더십 강의
삼성 습관, 리더 습관을 학습, 연습, 훈련하는 곳은 방탄자기계발사관학교뿐이다!

리더 자기계발, 동기부여 책 200권, 영상 300개, 교육을
들어도 리더 자기계발, 동기부여가 안 되는 이유.
4
리더
자기계발
동기부여

BTL
15년간 20,000명 심리 상담, 코칭으로 알게 된
책 200권, 영상 300개, 교육을 들어도 리더 자기계발, 동기부여가 안 되는 이유!
"세계 최초 공개!"
1조 리더십 강의
방탄 자기계발, 방탄 동기부여를 학습, 연습, 훈련하는 곳은 방탄자기계발사관학교뿐이다!

5
퇴사를 막고
인재를 오래
머물게 하는
방탄 리더십
퇴사를 막고 인재를 오래 머물게 하는
방탄 리더 품위유지의무 10계명

BTL
인재는 회사가 아니라 리더 때문에 떠난다.
방탄 리더 품위유지의무 10계명을 지키지 않으면 인재는 떠나고
방탄 리더 품위유지의무 10계명을 지키면 인재는 오래 머문다.
1조 리더십 강의 2
방탄 리더 품위유지의무를 학습, 연습, 훈련하는 곳은 방탄자기계발사관학교뿐이다!

BTL
리더는 누구나 되지만 방탄 리더는 아무나 될 수 없다!
1조 리더십 강의
방탄 리더십 품위유지의무를 학습, 연습, 훈련하는 곳은 방탄자기계발사관학교뿐이다!

특허청 등록
최보규 리더동기부여 코칭전문가
등록 번호: 제 40-2128786 호
ONLY ONE
검증된
리더 코칭전문가
1조 리더십 강의
NAVER 1조 리더십 강의
YouTube 방탄자기계발
Google 자기계발아마존
NAVER 최보규

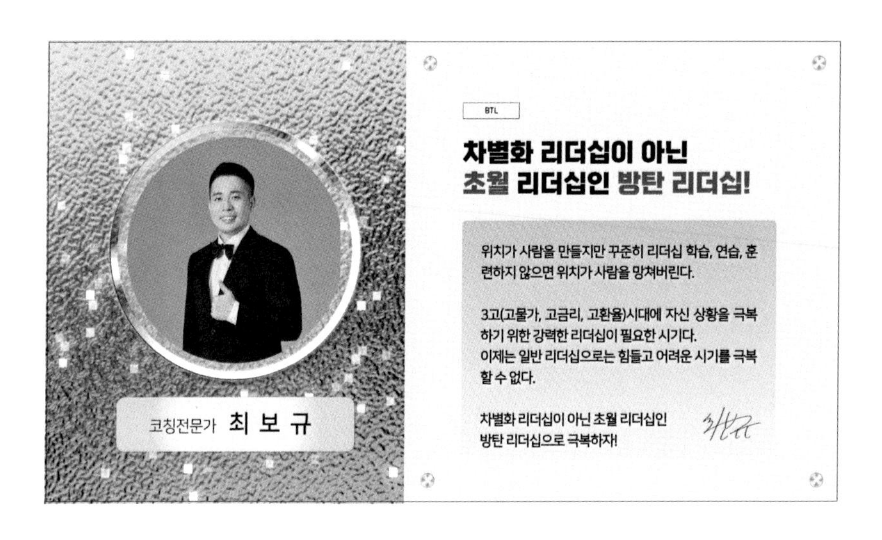
코칭전문가 최 보 규
BTL
차별화 리더십이 아닌
초월 리더십인 방탄 리더십!
위치가 사람을 만들지만 꾸준히 리더십 학습, 연습, 훈련하지 않으면 위치가 사람을 망쳐버린다.
3고(고물가, 고금리, 고환율)시대에 자신 상황을 극복하기 위한 강력한 리더십이 필요한 시기다.
이제는 일반 리더십으로는 힘들고 어려운 시기를 극복할 수 없다.
차별화 리더십이 아닌 초월 리더십인
방탄 리더십으로 극복하자!

코칭전문가 최 보 규
YouTube 방탄자기계발
Google 자기계발아마존
온, 오프라인 코칭 시스템
상담/교육/코칭 문의
분야별 1:1 맞춤형 교육, 코칭
최보규대표 010-6578-8295
우주 최강 책임감
스스로 할 수 있을 때까지
150년 a/s, 관리, 피드백
NAVER 방탄자기계발사관학교
NAVER 최보규

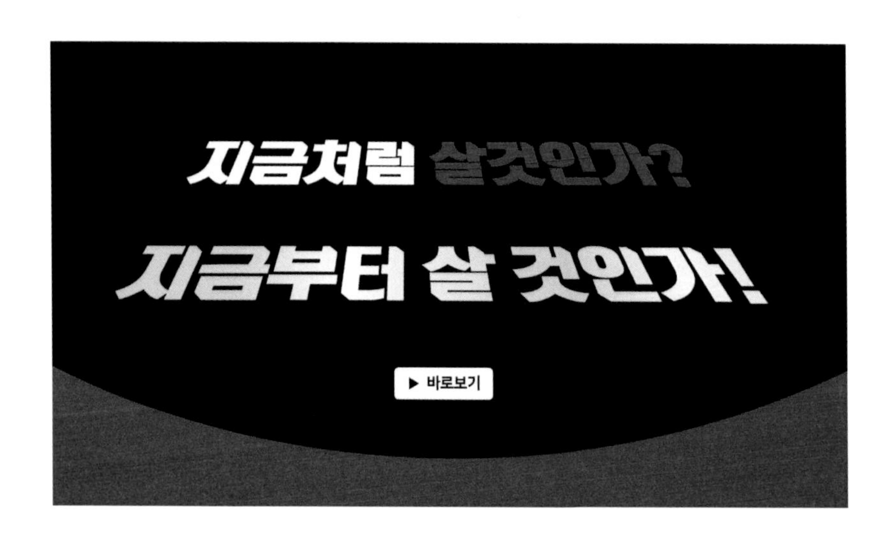

20,000명 심리 상담, 코칭 하면서 알게 된 것은
많은 사람들이 비슷한 말을 한다는 것이다!

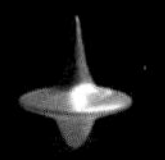

"지금처럼 살면 안 된다는 거 너무도 잘 아는데요..."
"변화해야 되는 거 아는데요..."
"성장 해야 되는 거 아는데요..."
"배워야 되는 거 아는데요... 돈 벌어야 되는 거 아는데요..."
"저도 하고 싶은데요... 동기부여가 안 돼요."

START

언제까지 동기부여 검증 안된 전문가 교육, 글, 책, 영상, ...만 보면서
자신, 자신 분야 변화, 성장, 돈, 은퇴, 노후... 걱정, 고민만 할 것인가!
혼자하지 말고 함께하자!

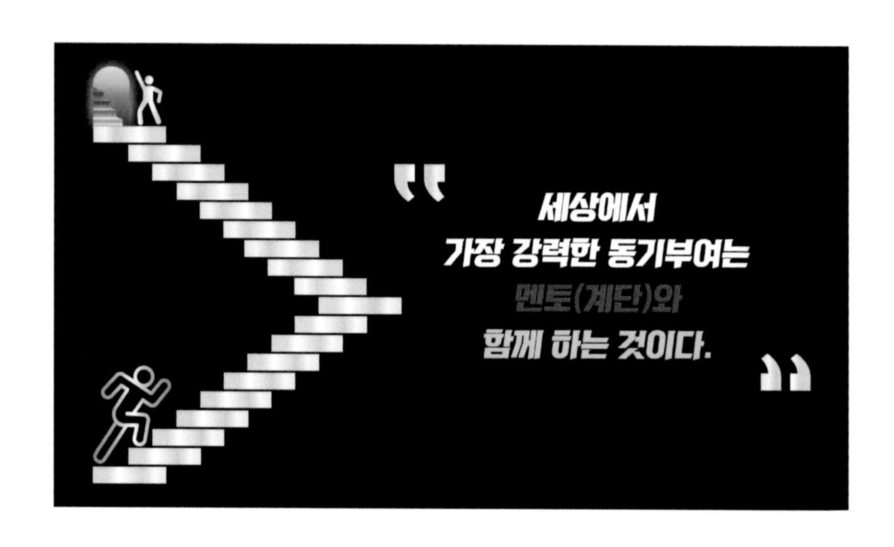
세상에서
가장 강력한 동기부여는
멘토(계단)와
함께 하는 것이다.

CHANCE
변화
CHANGE
성장
배움
돈
멘토
한 곳에서 모든 걸 해결! :)
은퇴, 노후
준비
150년 A/S
150년 피드백
150년 관리
SKILLS
KNOWLEDGE
EXPERIENCE

20,000명 심리 상담, 코칭으로 알게 된 사람들이 바라는 동기부여 교육, 코칭

Top 10

1위. 책임감을 가지고 100년 A/S, 피드백, 관리 (멘토)

2위. 고가여도 좋으니 값어치 하는 교육, 코칭

3위. 월세, 연금성 수입까지 창출하는 교육, 코칭

4위. 체계적인 시스템이 있는 교육, 코칭

5위. 바로 써먹을 수 있는 교육, 코칭

20,000명 심리 상담, 코칭으로 알게 된 사람들이 바라는 동기부여 교육, 코칭

Top 10

6위. 내 분야와 연결 시켜 시너지 효과(수입 연결)

7위. 은퇴, 노후 준비까지 되는 교육, 코칭

8위. 말만 전문가가 아닌 검증된 전문가

9위. 자리 잡을 때까지 케어해주는 교육, 코칭

10위. 인생 상담까지 해주는 교육, 코칭

절대로 방탄 리더 동기부여 책 읽지 마세요!
절대로 방탄자기계발사관학교 코칭 받지 마세요!

20,000명 심리 상담, 코칭으로 알게 된
사람들이 바라는 동기부여 교육, 코칭

TOP 10을 모두 하고 있기 때문에 절대로 교육, 코칭 받지 마세요!

CONGRATULATIONS
검증된
BEST
방탄동기부여
전문가
www.방탄자기계발사관학교.com
방탄
동기부여

방탄 리더 동기부여 CLASS6 매뉴얼, 시스템!
Google 자기계발아마존
YouTube 방탄자기계발
NAVER 방탄리더동기부여
NAVER 최보규

기댈 곳 / 가수 싸이
당신의 오늘 하루가 힘들진 않았나요
나의 하루는 그저 그랬어요
괜찮은 척하기가 혹시 힘들었나요
난 그저 그냥 버틸만했어요
솔직히 내 생각보다 세상은 독해요
솔직히 난 생각보다 강하진 못해요.
하지만 힘들다고 어리광 부릴 순 없어요.
버틸 거야 견딜 거야 괜찮을 거야
하지만 버틴다고 계속 버텨지지는 않네요
그래요 나 기댈 곳이 필요해요
그대여 나의 기댈 곳이 돼줘요

Google 자기계발아마존 | YouTube 방탄자기계발 | NAVER 방탄리더동기부여 | NAVER 최보규

당신의 고된 하루를 누가 달래주나요
다독여달라고 해도 소용없어요
솔직히 난 세상보다 한참 부족해요
솔직히 난 세상만큼 차갑진 못해요
하지만 힘들다고 어리광 부릴 순 없어요
버틸 거야 견딜 거야 괜찮을 거야
하지만 버틴다고 계속 버텨지지는 않네요
그래요 나 기댈 곳이 필요해요
그대여 나의 기댈 곳이 돼줘요
항상 난 세상이 날 알아주길 바래
실은 나 세상이 날 안아주길 바래
괜찮은 척하지만 사는 게 맘 같지는 않네요
저마다의 웃음 뒤엔 아픔이 있어
하지만 아프다고 소리 내고 싶지는 않아요
그래요 나 기댈 곳이 필요해요
그대여 나의 기댈 곳이 돼줘요

Google 자기계발아마존 | YouTube 방탄자기계발 | NAVER 방탄리더동기부여 | NAVER 최보규

당신의 기댈 곳이
되어 주겠습니다!
함께 합시다!

지금 당장 상담
받으세요!
삼성(진정성, 전문성, 신뢰성)이 검증된
최보규 방탄동기부여 전문가
강의, 교육, 코칭, 컨설팅 010-6578-8295
Google 자기계발아마존
YouTube 방탄자기계발
NAVER 방탄리더동기부여
NAVER 최보규
00

방탄 리더 동기부여
어떤 영상에서도 말하지 못한 방탄 리더 동기부여!
어떤 책에서도 말하지 못한 방탄 리더 동기부여!
어떤 동기부여 교육, 코칭에서도 말하지 못한 방탄 리더 동기부여!
Google 자기계발아마존
YouTube 방탄자기계발
NAVER 방탄리더동기부여
NAVER 최보규

방탄
자기계발
지금처럼이 아닌 지금부터 살게 해주겠습니다!
150년 함께 하겠습니다!
www.방탄자기계발사관학교.com
Google 자기계발아마존
YouTube 방탄자기계발
NAVER 방탄자기계발사관학교
NAVER 최보규

방탄리더사관학교
BULLETPROOF LEADER MILITARY ACADEMY
리더십코칭전문가 자격증
(방탄 리더 인재양성)
BL MA
리더는 누구나 되지만
방탄리더는 아무나 될 수 없다!
BLMA

클래스명	내용	2급 (온,오프라인)	1급 (온,오프라인)
CLASS 1 방탄 리더십 본질	노벨상 수상자 리더십 성공한 리더의 리더십은 다 잊어라!	1H	선택한 과 5H -------- 선택한 분야 5H
CLASS 2 방탄 리더 자존감, 멘탈	스트레스 관리, 마인드컨트롤이 잘 되는 리더 자존감, 멘탈 배터리 고속 충전하는 방법	1H	
CLASS 3 방탄 리더 습관, 행복	삼성(진정성, 전문성, 신뢰성)을 높이는 습관을 통해 리더 행복을 지키는 방법	1H	
CLASS 4 방탄 리더 자기계발 방탄 리더 동기부여	리더 자기계발,동기부여책 200권, 영상 300개, 교육을 들어도 리더 자기계발,동기부여가 안 되는 이유? 방탄 리더십 셀프 충전 사용 설명서 (도구 설명)	1H	
CLASS 5 방탄 리더 품위유지의무	퇴사를 막고 인재가 오래 머물게 하는 방탄 리더 품위유지의무 10계명 총 정리	1H	

국가등록 민간자격증

★ 자격증명: 리더십코칭전문가 2급, 1급
★ 등록번호: 2023-000126
★ 주무부처: 교육부
★ 자격증 종류: 모바일 자격증

✓ 일시, 시간

▶ 수시 모집 (상담)

▶ 13:00 ~ 18:00 (기본 5시간)
시간 조정 가능!(10H, 15H, 20H)

✓ 자기계발 비용, 인원

▶ 비용 상담

▶ 1:1 코칭(온,오프라인)

✓ 장소, 상담

▶ 장소 상담 후 상황에 따라 변동 사항

▶ 한 번의 상담이 인생 터닝포인트
150년 A/S, 관리, 피드백
최보규 원장 010-6578-8295

리더십코칭전문가 1급

한 개 과 선택! 5시간 집중 코칭!

방탄 리더십과

리더 사명감과	리더 기본기과	리더 태도과
리더십 식스펙(PT)과	리더 감정컨트롤과	리더 인간관계과
리더 소통과	리더 스토리텔링과	리더 스피치과
리더십 은퇴 준비과	리더 천재일우과	리더 7대 의무교육과
리더 자존감과	리더 멘탈과	리더 습관과
리더 행복과	리더 자기계발, 동기부여과	리더 재테크과
리더 방탄book기술력과	리더 책 쓰기, 출간과	리더 유튜버과
리더 강사과	리더 코칭과	리더 인재양성과

리더십코칭전문가2급 필기/실기

#. 자격증 검증비, 발급비 50,000원 발생
(입금 확인 후 시험 응시 가능)

▶ 0강~10강(객관식):(10문제 = 6문제 합격)

▶ 11강(주관식):(10문제 = 6문제 합격)

▶ 시험 응시자 문자, 메일 제목에 리더십코칭전문가 2급 시험 응시합니다.
최보규 010-6578-8295 / nice5889@naver.com

▶ 네이버 폼으로 문제를 보내주면 1주일 안에 제출!
합격 여부 1주일 안에 메일, 문자로 통보!
100점 만점에 60점 안되면 다시 제출!

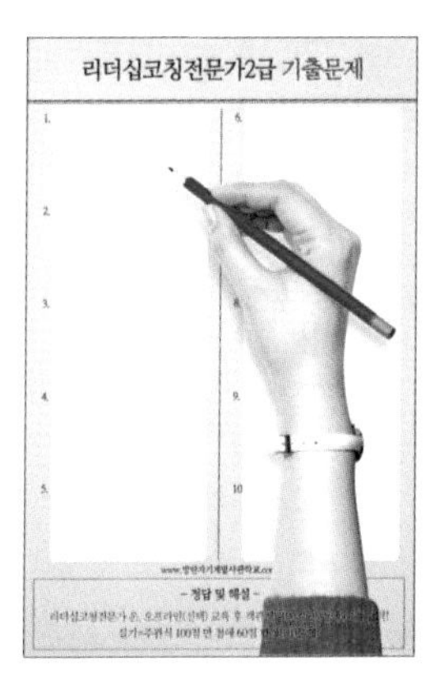

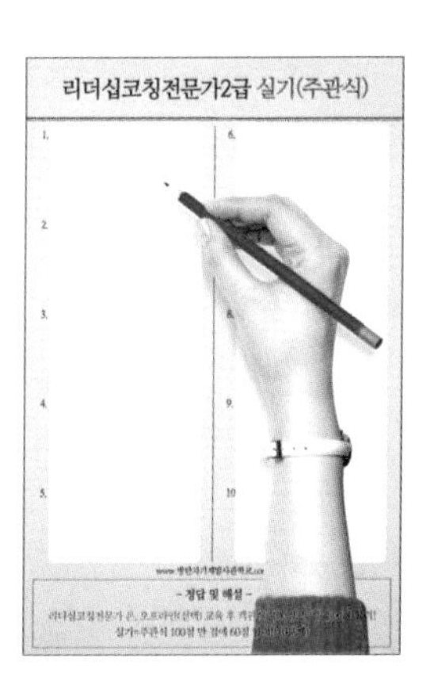

리더십코칭전문가1급 필기/실기

리더십코칭전문가2급 취득 후 온라인(줌), 오프라인 선택 후 방탄리더사관학교 25가지 과에서 한개 과 선택!

한 분야 5시간 집중 코칭 후 2급과 동일하게 필기시험, 실기시험 (코칭 비용 상담)

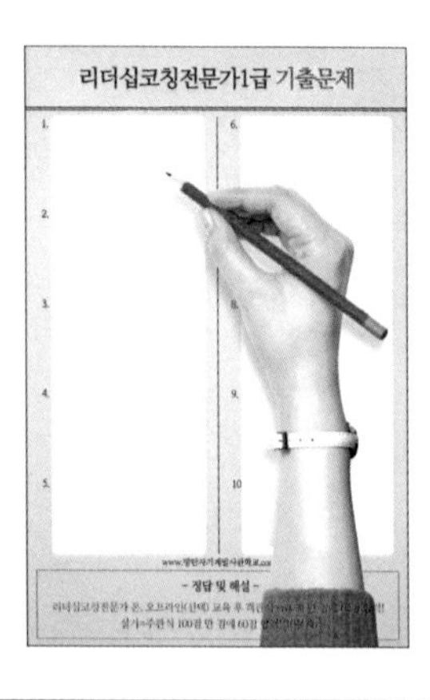

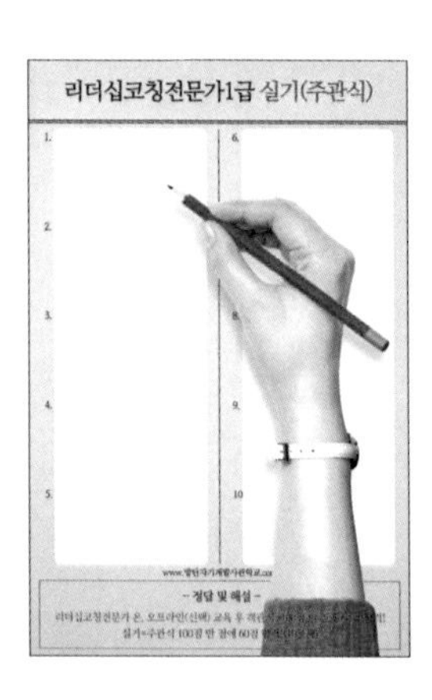

카페에 피카소가 앉아 있었습니다. 한 손님이 다가와 종이 냅킨 위에 그림을 그려 달라고 부탁했습니다. 피카소는 상냥하게 고개를 끄덕이곤 빠르게 스케치를 끝냈습니다. 냅킨을 건네며 1억 원을 요구했습니다.
손님이 깜짝 놀라며 말했습니다. 어떻게 그런 거액을 요구할 수 있나요? 그림을 그리는 데 1분밖에 걸리지 않았잖아요. 이에 피카소가 답했습니다.

아니요. 40년이 걸렸습니다. 냅킨의 그림에는 피카소가 40여 년 동안 쌓아온 노력, 고통, 열정, 명성이 담겨 있었습니다. 피카소는 자신이 평생을 바쳐서 해온 일의 가치를 스스로 낮게 평가하지 않았습니다.

《확신》

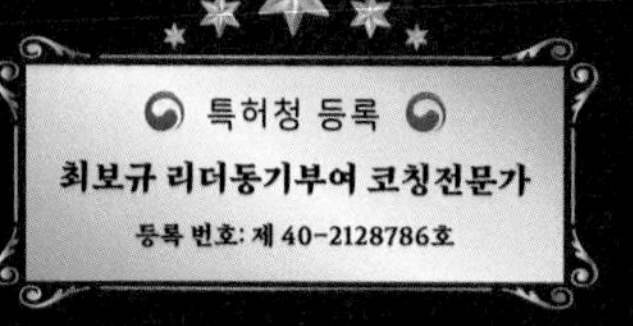

★★★★★ 차별이 아닌 초월 시스템 ★★★★★

누구나 방탄 리더가 될 수 있었다면
난 절대로 방탄리더사관학교를 선택하지 않았을 것이다!

Google 자기계발아마존 | YouTube 방탄자기계발 | NAVER 방탄리더사관학교 | NAVER 최보규

이코노미 방탄 리더PT

기본 5H : 3,000,000원

CHECK POINT

- ☑ 기본 1회(1일=5H)
- ☑ 방탄 리더십 기본 교육(자격증 포함)
- ☑ 150년 A/S, 관리, 피드백

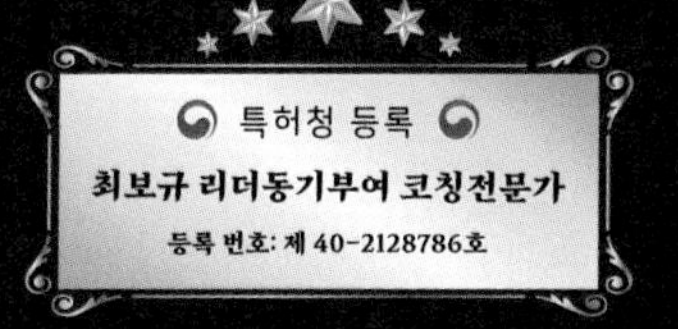

★★★★★ 차별이 아닌 초월 시스템 ★★★★★

누구나 방탄 리더가 될 수 있었다면
난 절대로 방탄리더사관학교를 선택하지 않았을 것이다!

Google 자기계발아마존 | YouTube 방탄자기계발 | NAVER 방탄리더사관학교 | NAVER 최보규

비지니스 방탄 리더PT

기본 10H : 5,000,000원

CHECK POINT

- ☑ 기본 1회(1일=5H/2회)
- ☑ 방탄 리더십 중급 교육(자격증 포함)
- ☑ 150년 A/S, 관리, 피드백

★★★★★ 차별이 아닌 초월 시스템 ★★★★★

누구나 방탄 리더가 될 수 있었다면
난 절대로 방탄리더사관학교를 선택하지 않았을 것이다!

Google 자기계발아마존 | YouTube 방탄자기계발 | NAVER 방탄리더사관학교 | NAVER 최보규

퍼스트클래스 방탄 리더PT

기본 25H : 10,000,000원

CHECK POINT

- ☑ 기본 1회(1일=5H/5회)
- ☑ 방탄 리더십 고급 교육(자격증 포함)
- ☑ 150년 A/S, 관리, 피드백

방탄 리더십 시스템 PT

★★★★★ 차별이 아닌 초월 시스템 ★★★★★

방탄 리더십과

리더 사명감과	리더 기본기과	리더 태도과
리더십 식스펙(PT)과	리더 감정컨트롤과	리더 인간관계과
리더 소통과	리더 스토리텔링과	리더 스피치과
리더십 은퇴 준비과	리더 천재일우과	리더 7대 의무교육과
리더 자존감과	리더 멘탈과	리더 습관과
리더 행복과	리더 자기계발, 동기부여과	리더 재테크과
리더 방탄book기술력과	리더 책 쓰기, 출간과	리더 유튜버과
리더 강사과	리더 코칭과	리더 인재양성과

특허청 등록
최보규 리더동기부여 코칭전문가
등록 번호: 제 40-2128786호
명품 자기계발
명품 동기부여
차별이 아닌 초월 시스템
누구나 방탄 리더가 될 수 있었다면
난 절대로 방탄리더사관학교를 선택하지 않았을 것이다!
Google 자기계발아마존
YouTube 방탄자기계발
NAVER 방탄리더사관학교
NAVER 최보규
방탄 리더십 코칭 전문가 속성 PT
방탄
리더십
기본 50H : 20,000,000원~
CHECK POINT
기본 1회(5H) / (10회)
25개과 속성 PT 과정
150년 A/S, 피드백, 관리

특허청 등록
최보규 리더동기부여 코칭전문가
등록 번호: 제 40-2128786호
명품 자기계발
명품 동기부여
차별이 아닌 초월 시스템
누구나 방탄 리더가 될 수 있었다면
난 절대로 방탄리더사관학교를 선택하지 않았을 것이다!
Google 자기계발아마존
YouTube 방탄자기계발
NAVER 방탄리더사관학교
NAVER 최보규
방탄 리더십 코칭 전문가 6개월 PT
방탄
book 기술력
전문가
기본 30H : 30,000,000원~
CHECK POINT
기본 1회(5H) / (10회)
25개과 6개월 시스템 PT 과정
150년 A/S, 피드백, 관리

방탄리더사관학교
BULLETPROOF LEADER MILITARY ACADEMY
리더 재테크과
방탄 리더 재테크 1
BOOKK
<저자 최보규>
리더의 7가지 재테크는 선택이
아닌 필수다.

Class 19. 리더 재테크과

- 리더의 7가지 재테크는 선택이 아닌 필수다.

★ 20,000명 심리 상담, 코칭 하면서 알게 된 90%가 잘못 알고 있는 재테크! 재테크 고,틀,선,편 깨기(고정관념, 틀, 선입견, 편견)

재테크란 보유한 자금을 효율적으로 운용하여 재산을 불리는 행위다. 90% 사람들이 자신 상황에 맞는 재테크를 하지 않고 대중매체, SNS, 주위 사람들 말에 3혹[유혹, 현혹, 화혹(화려함에 혹하다)]에 빠져 자신 주제(자산, 연봉, 대출...)에 오바 되는 재테크, 리스크 많은 재테크, 욕심(한방, 대박)재테크를 하여 문제가 생긴다.

현명한 재테크를 하기 위해서는 어떻게 해야 하는가?
다음은 금융감독원에서 현명한 재테크를 하기 위한 방향 제시를 해주는 내용이다.

현명한 금융 생활과 재무 생활을 하기 위해 도움을 받을 수 있는 금융감독원에서 나온 『생애주기별 금융 생활 가이드북』 금융감독원 금융교육센터에서 PDF를 무료로 받을 수 있고, 종이책으로 신청해도 받아볼 수 있다.

【결혼 전 금융관리 10원칙】

1. 빨리 종잣돈을 마련하라 : 큰 눈덩이로 시작해야, 더 빨리 커진다. 소액으로 위험 상품에 투자하기보다 일단 종잣돈을 꾸준히 모아라.

2. 선저축 후지출하라 : 월급 받고 쓰고 남은 돈을 저축해서는 절대로 돈을 모을 수 없다. 미혼기 때는 월급의 50% 이상 저축하라.

3. 통장은 쪼개어 관리하라 : 수입 통장, 지출 통장을 나눠서 관리해라, 적금 통장에는 '해외여행', '결혼자금' 등 목표를 적어라.

4. 체크카드를 사용하라 : 신용카드는 재테크의 적이다. 당장은 편하지만 충동구매를 막기 어렵다. 체크카드는 충동구매를 막고 매일 가계부를 쓰는 효과를 가져온다. 연말정산 때도 더 이득이다.

5. 소모성 대출은 최대한 피하라 : 불필요한 소모성 대출은 피하라. 마이너스 대출 쓰다 보면 마이너스 인생 전락의 위험성이 있다.

6. 신용을 관리하라 : 대출이자 상환이나 신용카드 대금

결제를 연체하고, 현금서비스를 많이 이용하면 신용이 하락한다. 나중에 돈 빌리기 힘들어지고, 이자도 높아진다.

7. 주식 직접투자는 신중하라 : 한방의 유혹에서 벗어나야 한다. 이 책에서도 여러 번 설명한 바와 같이 개인은 주식 직접투자에 대부분 실패한다.

8. 복리를 생각하라 : 기간 복리 효과를 누리려면 일찍 저축과 투자를 시작해야 한다. 젊었을 때 몇 년의 차이가 노후에 엄청난 차이를 만든다.

9. 노후를 준비하라 : 100세 시대, 은퇴 후 기간이 일하는 기간보다 길어진다. 새내기 직장인 때부터 노후 준비를 시작해야 한다.

10. 자기계발 게을리하지 마라 : 가장 중요한 투자는 자신에 대한 투자다. '내 몸값'을 올리는 것이 결국 평생 부자로 살 수 있는 가장 쉬운 길임을 명심하자.

【신혼기 및 자녀 출산기 금융관리 5원칙】

1. 먼저 저축하고 나머지를 지출하는 습관을 기르자.
자녀 태어나기 이전 신혼부부라면 미혼기와 마찬가지로 소득의 50% 이상 저축해야 한다.

2. 주택담보대출 이외의 빚은 모두 갚자.
자녀가 태어나면 돈 들어갈 곳 천지다. 그러나 그전에 생긴 빚은 그전에 모두 갚자. 고금리 대출이 있다면 정책금융의 저금리 상품(환승론, 햇살론, 전환 대출 등)을 활용하자.

3. 가족의 위험에 대비한 보장성 보험에 꼭 가입하자.
이제 더는 혼자가 아니므로 사망이나 질병, 사고에 대비한 보장성 보험을 들어놓아야 할 때다. 보험은 저축이 아니라 보장을 위한 상품임을 명심하자.

4. 은퇴를 위한 저축을 시작하자
출산, 양육, 주택 마련을 하다 보면 은퇴자금 준비가 소홀해지기 쉽다. 하지만 은퇴 대비 저축은 빠를수록 좋다.

5. 통장 나누기와 분산투자를 하자
저축과 투자 등 목표를 분명히 정해 통장을 나누자. 위험과 수익에 따라 적절한 분산투자도 필수다.

【자녀 학령기의 금융관리 5원칙】

1. 자녀의 교육자금 마련 계획을 세워 실천하자.
교육비 상승률이 물가 상승률을 웃돌아 왔다. 대학 갈

때까지 교육비는 계속 증가하므로, 적절한 계획에 따라 준비해야 한다.
2. 우리 아이에게 물려줄 수 있는 가장 큰 자산인 금융 이해력을 키워주자.
자녀에게 올바른 돈의 가치를 알게 하고, 용돈을 현명하게 지출하고 관리하는 습관을 길러주자. 자녀 이름으로 통장을 만들어 저축하는 습관을 길러주자.

3. 주택 거래, 피해를 보는 일이 없도록 하자.
자녀 학령기 때는 조금 더 큰 집으로 이사하거나 생애 첫 주택을 구입하는 경우가 많다. 재정적 준비와 함께 부동산 계약 시 기본적 법규도 파악해야 한다. 반드시 직접 방문해 물건을 확인하고, 계약 당사자가 적법한지 확인하자.

4. 신용 관리, 부채관리를 현명하게 하고 꾸준한 저축과 투자를 실천하자.
대출은 신중하게, 부채 규모는 상환에 무리가 없을 정도로만 하자, 물론 연체는 금물이다.

5. 은퇴 준비는 선택이 아닌 필수다.
은퇴 준비는 가족을 위한 필수 목표가 되어야 한다. 은퇴 필요 자금을 계산해 보고, 모아야 할 자금을 계산해

하루빨리 시작하자.

【자녀성년기 및 독립기의 금융관리 5원칙】

1. 자녀의 결혼자금은 자녀와 부모가 함께 준비하자.
자녀 부양하느라 본인 은퇴자금 다 잃으면 안 된다. 자녀 결혼자금은 자녀와 부모가 함께 준비하는 게 바람직하다.

2. 갑작스럽게 다가오는 위험에 대비해 비상 자금을 마련하고 보장성 보험을 다시 확인하자.
갑자기 소득이 사라진다면 본인과 가족의 미래가 위험하다. 질병이나 상해로 인해 소득이 중단될 수 있으므로 보장성 보험 가입을 확인하자.

3. 인생 이모작은 준비된 경우에만 성공할 수 있다.
무턱대고 하는 창업은 망하는 지름길이다. 자영업을 시작한다면 재능과 경험을 살리고 철저히 준비해야 한다.

4. 노후 자산을 늘리기 위해 연금을 쌓고 현명하게 투자하자.
노후 자금 마련을 위한 필요 자금을 계산하고, 위험 상황에 맞는 상품에 저축하고 투자해야 한다.

5. 다가오는 빈 둥지 시기를 재무적일 뿐 아니라 비재무적으로도 준비하자.
성년이 된 자녀가 가족을 떠날 때를 대비하자. 부부가 취미를 찾고, 건강하게 삶의 의미를 찾을 수 있는 준비도 해야 한다.

【은퇴기의 금융관리 3원칙】
1. 은퇴 후 정확한 재무 상태를 파악하고 경제 계획을 수립하자.
현재 자산과 부채 현황을 구체적으로 짚어보고 수익을 관리와 부채 부담을 최소화해야 한다.
일상 생활비와 의료비 등의 비상 자금을 구분해 두자.

2. 은퇴 후 경제생활을 위한 준비가 미흡할 경우 국가의 지원을 활용하자.
국민연금, 개인연금, 퇴직연금 등이 제대로 준비되지 않았다면, 기초연금이나 기초생활보장제도 맞춤형 급여체계 등의 도움을 받을 수 있다.

3. 금융 사기에 주의해 노후 자금을 안전하게 지키자.
노인 상대 금융사기 피해가 해마다 급증하고 있다. 금융사기 유형과 예방 방법을 잘 살펴보자.
<네이버 블로그 자연주의 코코>

위에서 말하는 현명한 재테크하는 방향, 방법을 보면서 이런 생각이 들 것이다. **"이론은 누가 몰라? 실질적인 재테크 방법을 어떻게 해야 되는 거지? 가진 것은 별로 없지만 많은 돈을 벌고 싶은데 한방에 재테크 잘하는 방법 없나?"라는** 태도로 자신 주제 파악, 자신 재무 상태, 자신 스펙은 생각하지 않고 한방, 대박만 바라는 사람들이 90%라는 것이다.
90%가 이런 태도를 가지고 있으니 하루만에도 셀 수 없이 사기성 내용들이 많은 유튜브, 대중매체, SNS, 주위 사람들이 말하는 재테크, 영상, 글, 이미지... 등 돈 버는 방법들로부터 3혹[유혹, 현혹, 화혹(화려함에 혹하다)]에 빠져 3명 중 1명이 재테크 피해를 보고 있는 것이 현실이다.

20,000명 상담, 코칭 하면서 알게 된 것은 허위 재테크를 통해 돈을 손해 보는 것보다 정신적인 것에 충격을 받아 앞으로의 삶이 망가지는 경우가 많은 게 현실이다. 이런 환경에서 필자가 단언컨대 말하고 싶은 것은 재테크, 돈을 버는 것도 중요하지만 더 중요한 것은 자신에게 주어진 자산을 먼저 지킬 수 있는 방법이 선행되어야만 올바른 재테크, 현명한 재테크, 주제 파악 재테크,

3혹 당하지 않는 재테크를 할 수 있다는 것이다.

지금 시대는 돈버는 것보다 중요한 것이 돈을 지키는 방법을 먼저 배워야 한다. 사기가 판치는 재테크 시장에서 자신 자산을 어떻게 지키고 올바른 제테크를 할 것인가?

재테크 고.틀.선.편 깨기

(고정관념, 틀, 선입견, 편견)

재테크 잘하는 방법이 중요한 것이 아니다. 3명 중 1명이 재테크 사기 피해를 보는 상황에서 **사기성 내용들이 많은 유튜브, 대중매체, SNS, 주위 사람들 말하는 재테크, 영상, 글, 이미지... 등 돈 버는 방법들로부터** 3혹**[유혹, 현혹, 화혹(화려함에 혹하다)]**에 **빠지지 않는 게 중요하다!**

★ 단군 이래 가장 돈 벌기 좋은 시대라고? 단군 이래 가장 사기당하기 쉬운 시대에 살고 있다!

사기꾼들이 100% 문제가 있다. 하지만 시대 흐름, 환경을 인지하지 않고 아닐 하게 "법 테두리 안에서 법을 지키며 살면 인생은 행복할거야?"라는 착한아이컴플렉스 정신으로 사는 것도 문제가 있다. 법을 지키지 말라고 말하는 게 아니다. 법은 당연히 지켜야 한다. 하지만 법을 지키지 않는 사기꾼들로부터 자신 자산을 지키고 올바른 재테크를 하기 위해서는 시대 흐름을 알고 긴장하면서 재테크 학습, 연습, 훈련을 해야 한다고 말을 하는 것이다. 한마디로 5명 중 1명은 사기꾼이라는 말이 있듯이 재테크를 잘하려면 재테크 사기를 당하지 않는 학습, 연습, 훈련이 선행되어야 한다는 것이다.

다음은 "단군 이래 가장 돈 벌기 좋은 시대가 아닌 단군 이래 가장 사기당하기 쉬운 시대에 살고 있다!" 라는 말을 증명해주는 내용이다. 현실 상황을 알아야만 자신 자산을 지키고 올바른 재테크를 할 수 있다.

전직 판사도 사기당하는 대한민국?! 한국이 사기 범죄율 1위 국가가 된 이유! <신중권 변호사: 정신적 살인죄 '사기'>

사기 범죄율 1위, 대한민국
대한민국 범죄율 1위 '사기'
한국은 어쩌다 사기 범죄 1위 국가가 됐나?
사기 범죄율 1위 한국... 'ㅇㅇ'하면 당한다.

주변에 사기당한 사람이 있으신가요? 그렇게 많지 않은 것 같나요? 창피하고 속이 쓰려서 말하지 못할 뿐입니다. 심지어 자책감에 시달려 스스로 생을 마감하는 경우도 많습니다. 우리나라 형사 사건의 70%가 사기 사건일 정도로 오직하면 사기 공화국?! 말까지 있었겠습니까! 대한민국은 사기 공화국?! 왜 사기꾼들은 감옥에 다녀와도 사기를 계속 치는 걸까요? 첫 번째 이유! 초범이 거의 없는 사기꾼들 지은 죄에 비해 가벼운 형량! 피해 금액이 몇억 대가 되지 않는 이상은 형량이 그리 높지 않다. 두 번째 이유! 돈 벌기 쉽다. 쉽게 돈 벌었던 사람이 땀 흘려서 돈 버는 게 가능하겠습니까? 적응하지 못함!

<어쩌다 어른 신중권 변호사>

<사피엔스 스튜디오>

지옥문이 열리다 - 노년을 노리는 코인 다단계의 덫

■ 가상자산 투자로 노후 자금을 잃은 위기의 노년

74세 최현영(가명) 씨는 지인을 통해 'P코인' 투자 정보를 접했다. 당시 고정 수입이 없는 상태였던 최씨는 가상자산에 투자하면 평생 먹고살 걱정 없이 큰돈을 벌 수 있다는 말에 투자를 결심했다. 그리고 집을 판 1억여 원의 돈을 가상자산에 투자했다. 한때 투자한 P코인의 가격이 치솟으면서 하루에 수천만 원을 벌었다는 최씨, 그런데 코인 가격이 급락하면서 손에 쥐어 보지도 못한 전 재산을 잃어버렸다. 결국, 최씨는 살던 집을 잃고 거리로 내몰리는 신세로 전락했다.

60세 김동민(가명) 씨는 지인을 통해 'P코인'을 추천받았다. 'P코인'이 가상자산 거래소에 상장되면 투자한 돈의 몇 배를 벌 수 있다는 말에 솔깃한 그는 평생 모은 돈과 대출금을 합쳐 총 4억 5천여만 원을 투자했다. 하지만 상장된 코인이 한순간에 급락하자, 김동민씨는 매달 1천여만 원에 이르는 이자를 감당해야 하는 처지에 놓였다. 결국, 김씨는 가족과 함께 모텔 생활을 전전해야만 했다.

"자식한테 신세 안 지려고, 혼자 계신 어머니께 매달 10만 원씩이라도 보내드리려고 투자했어요. 그런데 지금 지옥 속에 살고 있어요"

- 가상화폐 투자 피해자 김미영(가명)씨 인터뷰 中

"땀 흘려 벌어야 진짜 내 돈이다. 평생을 그렇게 알고

살았어요. 그런데 한순간에, 이렇게 나이 들어서 모든 걸 잃으니 진짜 아찔해요"
- 가상화폐 투자 피해자 권희은(가명)씨 인터뷰 中

■ 노년층을 파고든 가상자산 다단계

《시사직격》에 가상자산 피해를 호소하는 노년층의 제보가 전국에서 접수되고 있었다. 주식도 가상자산도 잘 몰랐던 그들은 어쩌다 코인 투자를 하게 된 것일까?

67세 황은정(가명) 씨는 지인의 소개로 가상자산 투자 설명회에 가게 됐다. 설명회에서 자신을 약사라고 소개한 사람이 'P코인'에 투자해 큰돈을 벌었다며, 투자를 권유했다고 한다. 그리고 수십 명에게 식사까지 대접하며 가상자산 투자로 든든한 노후를 설계했다고 자랑했다는 것이다. 약사라는 사회적 지위와 고수익을 보장받을 수 있다는 말을 믿은 황씨는 퇴직금 천만 원으로 가상자산에 투자했다. 그리고 황씨는 가족 등 지인에게도 P코인을 소개했다. 그런데, 코인 가격 급락 후 지인들의 항의가 빗발치기 시작했고, 황씨는 지인들과 함께 법원에 'P코인'을 발행한 해당 회사를 고소했다. 그리고 살던 집을 판 1억여 원의 돈으로 지인들의 피해액을 갚아줬다고 한다. 그런데도 각종 빚 독촉에 시달리고 있다는 황씨, 자신의 인생 자체가 거짓말이 돼버렸다며 힘든 고

충을 털어놨다.

대장암 진단 후 요양병원을 전전하던 59세 임석현(가명) 씨는 간호사를 통해 'P코인'으로 면역항암제라는 NK세포 치료를 받을 수 있다는 정보를 접했다. 임씨는 암 진단금으로 투자를 했다고 한다. 그리고 투자자를 소개하면 후원수당까지 받을 수 있어 지인들에게 'P코인'을 알렸다고 한다. 이렇게 'P코인'사는 투자자가 새로운 투자자를 모집할 때마다 수당을 지급하며 다단계 마케팅을 한 것이다. 피해자가 가해자로 둔갑하는 다단계 마케팅의 함정, 《시사직격》은 'P코인'사의 중간 역할을 했던 센터장을 통해 실체를 파악했다.

"다단계 구조상 특정한 시기가 왔을 때 더 이상 매출이 없고, 지출만 발생하는 상황이 오게 됩니다.
그때 폭탄이 터지는 것처럼 하위층에 계신 분들이 다 피해를 보는 거죠."
- 한상준 변호사

■ 법의 사각지대에 있는 가상자산

대한민국 가상자산 투자자는 600만 명에 이른다. 그중, 1억 이상 투자하는 연령대는 40~60대로, 투자 금액을 분석한 결과 전체의 70%를 차지한다. 제작진이 만난 'P

코인' 업체 센터장은 법적 제재가 없는 가상자산을 이용해 다단계식으로 노년층을 모집했다고 증언했다. 이 사건을 수사 중인 경찰 측은 현재까지 확인된 'P코인' 투자자는 225명, 투자금액은 132억 원에 달한다고 밝혔다. 그러나, 다단계 특성상 전국적으로 수많은 사람들이 복잡하게 얽혀 있어 정확한 피해 규모 등 실체를 파악하기 힘든 실정이다.

《KBS1 시사직격》

SNS 투자사기…교묘한 덫 피하려면...

안녕하세요. 후스토리 박병일입니다.

지난 317회 뉴스토리에서는 최근 주식이나 부동산 열풍을 타고 번지는 다양한 sns 투자 사기들에 대해 전해드렸는데요. '당하는 사람이 바보지!' 라고 생각하시는 분들 계실 겁니다. 피해자들도 처음엔 그랬답니다.

박선미(가명)/사기 피해자

"사기를 왜 당하나 쉽게 돈 벌려고 저러다가 벌 받은 거지. 엄청나게 욕을 했거든요. 그런데 실제로 제가 그 주인공이 됐고 정말 죽고 싶은 생각이 너무너무 많이 들었고...

그래서 오늘은 이런 sns 투자 사기들을 피하는 방법 짚어드리려 합니다.

Q. 우선 사기꾼들은 처음에 어떻게 접근할까요?
박진주(가명)/사기 피해자
저한테 접촉을 하는 사람들도 이름에 누구누구 맘, 건우맘, 진우맘, 해서 자기도 엄마다. 엄마인데, 부업을 해서 이만큼의 수익을 올리고 있다. 무슨 투자 카페나 인스타, 카톡 같은 sns를 통해 접근하는데 누구누구 엄마 아무게 맘이라면서 경계심을 풉니다.

권지은(가명)/사기 피해자
네, 진우맘 아기랑 같이 있는 사진들, 그러니까 의심은 전혀 없던 거였어요.

누구누구 엄마라는 거 다 가짜입니다. 다 한 패입니다. 이들 엄마가 유도한 사이트에 들어가 보면 다른 엄마들이 올려놓은 나 돈 벌었다. 하는 후기들로 도배질 돼 있습니다.

고영순(가명)/사기 피해자
저와 같은 주부들이 또 아이들 키우면서 학원비랑 이런 것들이 부족했는데 이런 재테크를 통해서 큰 도움을 받았다. 수익 인증을 하는 사람들이 많았다. 오늘은 얼마 벌었어요. 오늘 얼마 벌었어요.

물론 이런 후기들 역시 사기꾼들이 파놓은 함정입니다. 그렇게 쉽게 돈 벌 수 있는 방법이 있다면 지네들이 하지 뭐 하러 남한테 알려주겠습니까? 그런데 말이죠. 전세자금이나 생활비가 필요한 주부들이 이런 것을 보게 되면 의심이 호기심으로 바뀝니다.

Q.어떻게 유혹하나?
sns를 통해 뭐냐고 물어보겠죠. 그럼, 사기꾼들 이렇게 답합니다.

우미영(가명)/사기 피해자
만약에 수익이 나지 않으면 원금은 다 보장을 해주겠다고 했어요.

고영순(가명)/사기 피해자
배당 값을 가지고 있는 거기 때문에 이미 정답을 알고 매매를 하는 거기 때문에 원금 손실의 위험이 전혀 없고...

'원금 보장'된다. 알고리즘을 알고 있어 무조건 딴다. 설탕물을 쫙 뿌립니다. 게다가 사람의 마음을 조리게끔 하는 밀당의 기술이 보통이 아닙니다.

"정작 빨리하세요. 하지 않아요. 오히려 제가 조금 생각을 해본다고 하면 충분히 생각하시라고..."

이런 낚시질에도 걸려들지 않으면 전문가까지 동원합니다.

우미영(가명)/사기 피해자
청년 기업들 투자를 해주고 하는 사람이더라고요. 그래서 "이 사람이라서 이렇게 투자에 대해서 문자가 왔나 보다" 그렇게 생각을 했거든요.

투자 전문가 실제로 인터넷으로 검색해 보면 유명한 투자자입니다. 하지만 사실은 사기꾼들이 SNS에서 사진을 도용한 겁니다. 주부들이 인터넷으로 검색까지는 해보더라도 실제로 전화까지 해서 확인하지는 않는다. 이런 점을 파고든 겁니다. "이쯤 되면 주부들 속는 셈 치고 한 번 투자해 볼까? 생각하게 됩니다." 시험 삼아서 50만 원에서 100만 원 정도 투자를 하게 됩니다. 그게 주식 투자일 수도 있고요. 온라인 카지노일 수도 있고 선물 옵션일 수도 있고 미국 로또일 수도 있습니다. 사기범들이 쓰는 수법 다양합니다. 그런데 공통점이 하나 있어요. 사기꾼들이 자기네 법인 계좌에 돈이 입금이 되면. 입금을 하라. 이렇게 해서 입금이 되면 자기네 프로그램을 다운받아라. 이렇게 지시한다는 겁니다.

Q.프로그램을 다운받아라?
그런데 다운받고 보면요. 이 프로그램 정말 그럴듯합니다. 프로그램 상에 투자 금액도 그대로 자기가 넣은 금액 그대로 적혀 있습니다. 주부들이 믿을 수밖에 없겠죠. 그런데 이건 그냥 숫자일 뿐이고요. 이미 사기꾼들 주머니 속에 돈이 들어간 뒤입니다.

김상길/홈 트레이딩 시스템 개발자
가짜예요. 그러니까 내 돈이 들어가지 않는 가상 숫자. 주가 숫자만 연동이 되고 나머지 금액이라든지 이런 거는 자기네들 설정한 대로 되는 거죠.

그런데 피해자들은 처음에 의심 반 호기심 반으로 50만 원에서 100만 원 정도 입금한다고 했는데 피해자들은 왜 이렇게 수천만 원의 피해를 입게 되는 걸까요? 어떤 종류의 투자 사기냐에 따라서 다르겠지만요. 공통점은 큰 수익이 나온 것처럼 프로그램상에 허위 금액을 적어서 흥분하게 만든 뒤에 피해자들에게 추가 입금을 요구

한다는 겁니다.

우미영(가명)/사기 피해자
8천 만 원 계좌에 쓰여 있어요. 이렇게 눈에 보이잖아요. 수수료 20%로 입금을 해줘야지 환급이 된다. 그래서 1600만 원을 아침에 제가 입금을 했고요.

이렇게 수수료라면서 돈을 받아 챙기기도 하고요. 또 그간에 거래 내역이 없어서 출금이 안 된다. 라면서 추가 입금을 요구하기도 합니다.

권지은(가명)/사기 피해자
한 15분 정도 있다가 10배 수익금이 나대요. 그럼 500이 된 거잖아요. '에러가 났다.' 그러면서 처음 가입하고 처음 하신 분인데 내역이 없기 때문에 300만 원을 입금을 해야 된다는 거예요.

그런데 말이죠. 이렇게 추가 입금을 하게 되면 피해자들에게 어떤 구실을 대서건 또 돈을 넣게끔 만듭니다. 피해자들 의심할 틈도 없이 계속 말려들게 됩니다.

중간에 이거 좀 이상하다? 이거 좀, 이상한데? 이런 생각을 전혀 안 하셨나요?

권지은(가명)/사기 피해자
이상하다고 생각하긴 했는데 그래도 돈이 들어간 것도 있고 계속 믿게끔 해주니까...

박진주(가명)/사기 피해자
정신이 나가 있는 상태인 거예요. 왜냐면 내 생돈이 계속 들어가고 나는 그걸 빨리 빼야 하는 생각만 하지 어떤 사리 분별이 잘 안되는 상황이 돼버리는 거예요.

Q. 사기꾼들, 왜 못 잡나?
피해자들은 한결같이 sns로만 대화했습니다. 누구누구맘 투자 전문가 그리고 사이트 운영자 등이 모두 한패라는 것을 모르는 채 말이죠. 나중에야 당했다는 것을 알게 되지만 만난 적도 전화 통화한 적도 없으니 사기꾼들을 특정할 수 없게 되는 겁니다. 뒤늦게 경찰서에 가서 신고하지만, 허망한 대답만 듣게 될 뿐입니다.

고명순(가명)/사기 피해자
신고하러 갔더니 경찰도 찾을 수 없다고 '사기꾼들은 다 외국에 있기 때문에 못 찾는 거 아시죠? 그냥 잊고 사세요!'라고 노력은 하겠지만 기대는 하지 말라고...

이런 sns 투자사기는 처음부터 발을 담그지 않는 게 최선입니다. 처음에 시험 삼아 소액 투자를 했더라도 큰 수익이 났다. 추가 입금을 해라 이런 요구를 듣는다면 이건 사기니까. 거기서 포기하고 중단해야 더 큰 피해를 막을 수 있습니다. 지금까지 후스토리였습니다. 감사합니다.

<SBS 뉴스 후스토리>

대한민국에서 사기당하지 않으면 똑똑한 사람이다.
사기 공화국, 대한민국의 민낯
<김도우 경남대학교 법정대학 경찰학과 교수>
코로나19 감염확산이 기승한 지난 2년 동안 대한민국에서 발생하는 사기 사건은 평균 32만 건이 넘고 있다.
이는 전체 범죄 중 20%에 육박하는 수준으로 과거 세계보건기구(WHO)도 한국의 사기 범죄 발생지수를 OECD 37개 국가 중 가장 높은 것으로 평가한 적이 있다.

사기꾼이 판을 치는 대한민국의 양상을 빗대어 일찍이 김주덕 변호사는 '사기공화국에서 살아남기'라는 자신의 저서 통해 위험을 알린바 있다. 그럼에도 불구하고 '사기 범죄'가 판치기 좋은 환경"이라는 오명을 씻지 못하고 연간 사기 범죄의 발생 건수가 가파르게 증가함과 동시에 피해자의 극단적 선택마저 발생하고 있다.

최근 사기 수법이 점점 교묘해지고, 규모도 커지고 있다. 피해 대상도 성인뿐만 아니라 노인이나 아이를 대상으로 한 사기도 발생하고 있고, 퇴직자, 취업준비생 등 경제적 취약계층을 향한 사기 피해도 발생하고 있다.

게다가 코로나19로 인한 비대면 상황이 지속되면서 모바일을 통한 전자상거래 및 금융거래가 증가하면서 정부가 지원하는 재난지원금과 정부지원대출 등을 빙자해 현금인출이나 계좌이체를 요구하는 피싱이나, 지자체나 질병관리본부 등에서 코로나 관리를 위하여 자주 발송되고 있는 안내 문자와 유사한 내용으로 속여 수신자가 악성코드가 심어진 문자 내 링크를 클릭하도록 유도하는 스미싱, 심지어 최근에는 가상화폐 거래소를 해킹해 금전적인 이득을 취하는 등 새로운 수법도 등장하고 있다.

여기에 더해 오픈뱅킹의 이용은 단 한 개의 계좌정보만으로 비대면으로 대출받고, 보험까지 해지하는 등 사실상 전 재산을 탈취할 수도 있게 됐다. 더 심각한 것은 그 피해회복에 있다. 피해자들은 사기꾼이 잡힌다고 해도 피해액을 돌려받을 가능성이 매우 희박하다.
통상적으로 피해자들은 민사 절차를 통해 피해구제를 신청한다. 문제는 민사재판을 통해 피해를 구제받으려면 사기 피해자가 직접 그 증거를 입증해야 한다는 점이다. 하지만 수사기관도 아닌 개인이 관련 증거를 확보하기는 어려워 현실적인 구제책이 되지 못한다.
형사절차 단계에서 피해 복구를 위해 '형사 배상 신청 제도'와 '부패재산몰수법'이 있지만 피해액에 대한 심리가 길어져 자칫 사법 정의를 훼손할 우려에서 법원에서 거의 받아들여지지 않고 있다.

사기 공화국, 대한민국의 민낯은 여기서 끝나지 않는다. 사기 범죄자의 재범률은 40% 가까이로 다른 범죄에 비해 압도적으로 높다. 여기에는 사기죄에 대한 국가의 솜방망이 처벌이 한몫하고 있다. 사실상 사기관련 고소가 워낙 많이 발생해 수사당국은 피해액 1억 원 미만일 경우, 원칙적으로 구속수사를 하지 않고 있다.
법원의 형량도 최대 형량이 징역 10년 혹은 2,000만 원의 벌금이지만 양형기준을 보면 빼돌린 금액이 50억원 이상은 되어야 징역 5년 이상을 선고한다.

결과적으로 사기꾼들은 사기죄로 잡히더라도 피해자와 합의하는 등으로 가벼운 처벌을 경험한 후 다시 사기 범죄에 가담하게 되는 것이다.
범죄경제학자 베커는 합리적 선택이론에 기초해 '범죄행위에 상응하는 처벌'이 존재할 때 '범죄행위를 중단 또는 방지'할 수 있다고 주장했다.

사기 공화국으로 오명 씌워진 대한민국은 현재 사기꾼들이 활동하기 그지없는 천국 같은 환경은 만들어 주고 있으면서, 정작 이를 방지하기 위한 법제도적 장치는 20여년이 지난 지금도 무용지물이 되고 있다.
경제불황기에 벌어지는 사기의 대부분은 취약계층을 상대로 하는 생계형 사기일 가능성이 높다. 장기적인 경제불황이 예상되는 이때 젊은이나 고령자 등 경제적 취약계층들이 사기 피해를 당해 고통을 받게 된다면 우리 사회의 신뢰도는 추락할 것이며 그에 따른 다양한 부작용을 우리 사회가 감당해야 할 것이다.
사기 공화국의 민낯을 지우기 위해서는 사기죄를 방지하는 최소한의 방지턱이라도 갖춰야 한다.
《사기 공화국에서 살아남기》

2023년 대한민국 현실 속 앞으로 재테크 사기가 더하면 더했지 덜하지는 않는다. 재테크를 빙자한 사기가 판을 친다는 것을 깨닫게 해주는 재테크 상황이다. 이런 상황에서 "재테크는 이렇게 해야 된다."가 아니라 "재테크를 하려면 우선 재테크 사기를 조심하기 위해서 재테크 사기 피해 방지 학습, 연습, 훈련을 해야 된다."라는 것이 더 중요하다는 것이다.

하지만 현실은 어떤가 유튜브, 대중매체, SNS, 주위 사람들이 3혹[유혹, 현혹, 화혹(화려함에 혹하다)]을 시킨다. 이런 상황, 환경 속에서 어떻게 하면 재테크 사기를 예방하기 위해서 준비하고 자신 자산을 지키면서 리스트 적은 재테크를 할 수 있을까?

지금부터 세상에서 가장 리스트가 적고 재테크 사기를 예방 할 수 있으며 100년 지속 할 수 있는 재테크를 알려주겠다. 집중! 집중! 집중!

대한민국 사기 범죄율 1위 5명 중 1명은 사기꾼이다!
3명 중 1명이 재테크 사기를 당하는 현실!

재테크를 잘하기 전에 선행해야 할 것이
재테크 사기를 예방하고
먼저 자신 자산을 지키는 현명한 방탄 재테크를 해야 한다!

★ 세상에서 가장 리스크가 적은 재테크와 3명 중 1명 겪는다는 재테크 사기로부터 예방하는 방법을 소개한다!

"최고의 공격은 방어다."라는 말이 있다. 한마디로 방탄 재테크를 해야 한다.
20,000명 심리 상담, 코칭 하면서 알게 된 것은 사기 당하는 사람들 90%가 믿었던 사람들에게 사기를 당했다고 한다. 그래서 코칭 할 때 극단적인 말로 가족도 믿지 말라는 말을 종종 한다. 가족도 믿지 못하는 사회라는 것을 말한다는 게 너무 안타까운 현실이라는 것이다.

앞에서 재테크 사기 사례들을 보면 대부분 사람들이 이런 말을 한다. "어떻게 똑똑한 사람들이 그걸 당해? 나 같으면 절대 당하지 않겠다." 재테크 사기당한 사람들 99%가 그런 말을 했던 사람들이다. 아이러니 하지 않는가? 재테크 사기당했던 사람들이 보이스피싱 당했던 사람들 또한 사기당한 사람들을 보면서 그런 말을 했는데 사기를 당한다. 단순하게 말을 하면 사기꾼들이 대단하다는 것이다. "멍청하면 사기도 못 친다." 이런 말이 그냥 나온 말이 아니라는 것이다.

20,000명 심리 상담, 코칭 하면서 알게 된 것은 재태크 사기, 보이스피싱... 등에 사기 피해를 입는 사람들 특징

이 있다는 것이다. 필자가 법에 종사하는 사람은 아니지만 필자도 몇 천만 원 사기당하고 돈 보다 중요한 젊은 나이에 소중하고 귀한 시간을 낭비해 봤던 경험과 20,000명 심리 상담, 코칭 경력으로 감히 말을 한다면 사기 피해를 입는 사람들 특징이 자존감, 멘탈이 낮고 사기 피해를 입을 수 있는 습관을 평상시 가지고 있으며 자신, 자신 분야 자기계발을 소홀히 했다는 것이다. 행복률 또한 낮아서 발생한다는 것이다.

다음은 왜? 자존감, 멘탈, 습관, 행복, 자기계발을 평상시에 학습, 연습, 훈련하지 않으면 재테크 사기, 보이스피싱... 등 사기 피해를 많이 당할까? 의문점을 깨닫게 해주는 내용이다.

20,000명 심리 상담, 코칭으로 알게 된 사기 피해 잘 보는 사람들 특징!

1. 자존감 낮은 사람.

자존감이 낮은 사람들 특징이 착한아이 컴플렉스를 가지고 있는 경우가 많다. 그래서 주위 사람들 말하는 것에 거절을 잘 못하고 어느 정도 믿음이 있다고 판단하면 상대방이 잘해주면 말하는 것을 있는 그대로 다 믿는다. 그래서 피해를 당한다.

2. 멘탈이 낮은 사람.

멘탈이 낮으면 거절을 잘 못해서 시키는 대로 하다가 사기꾼에게 빠져든다. 콤플렉스, 열등감, 자격지심이 있어서 멋져 보이고 잘 나가 보이는 사람들 말을 잘 믿는다. 상황 판단력이 부족하다.

3. 사기당하는 습관을 가지고 있는 사람.

단호하고 냉정하지 못하는 습관
거절 잘 못하는 습관.
귀가 얇은 습관.
결정 장애 습관.
감정 기복이 심한 습관.
한방, 대박을 바라는 습관.
모든 것을 돈돈돈돈돈으로 보는 습관.
말할 때 마다 돈돈돈돈돈으로 시작해서 돈으로 끝나는 습관.
돈에 집착하는 습관.
하는 행동이 만만하게 보이는 습관.
시기, 질투, 불만 습관
조금만 잘해줘도 간, 쓸개 다 빼주려는 습관.
오지랖이 많은 습관
자기 관리를 하지 않는 습관
자기계발을 하지 않는 습관

너무 착하게만 행동하는 습관

.

.

많은 것이 있지만 한마디로 정리를 하면 사기꾼들이 좋아하는 사람, 사기꾼들이 싫어하는 사람이 있다. 말, 표정, 행동이 당당해 보이지 않고 만만해 보이면 사기 피해를 입을 확률이 90%라는 것이고 사기꾼들이 가장 좋아한다.

4. 행복률이 낮은 사람.

행복률이 낮으면 자신 행복률을 채우기 위해 세상, 현실, 주위 사람들이 말하는 행복의 기준인 돈에 집착하게 만든다는 것이다. 돈 많이 번다는 재테크에 혹하게 되는 것이다. 그래서 행복률을 높이기 위한 학습, 연습, 훈련해야 된다고 강조하는 것이다.

5. 자기계발을 하지 않는 사람.

자기계발이 무엇인가? 자신, 자신 분야를 어제보다 나은 사람이 되기 위해 어제보다 0.1% 성장시켜 자신 가치, 몸값을 올려 자신 분야, 인생에서 필요한 사람이 되는 것이다. 자기계발을 제대로 하지 않는 사람들은 자신의 성장에는 관심이 없고 오로지 돈만 있으면 된다는 태도로 한방, 대박만을 바라게 된다는 것이다. 사기꾼들이 사기 치기 가장 좋은 사람들이 한방, 대박을 좋아하는 사람들이다. 자기계발을 잘하는 사람들은 목표, 방향이 있다. 아무리 화려한 것을 보더라도 가야 할 길이 분명하게 있는 사람들은 3혹 되지 않는다.

자존감, 멘탈, 습관, 행복, 자기계발을 평상시에 학습, 연습, 훈련 잘한다고 사기 피해를 안 당하지는 않는다. 하지만 3명 중 1명 사기당하는 현실에서 자존감, 멘탈, 습관, 행복, 자기계발을 평상시에 학습, 연습, 훈련 잘하는 사람들은 사기를 최소화하고 사기 피해를 보더라고 스스로 케어를 하여 빠른 시일에 정상생활을 한다.

재테크 사기당하는 것도 큰일이지만 사기 피해 입은 후 정신을 가다듬고 정상생활을 할 수 있는 정신상태로 돌아오지 못하는 게 더 큰 문제다. 오해하지 말고 들어라. 악담하는 게 아니다. 누구도 피할 수 없는 재테크 사기, 보이스피싱... 등 살면서 더 큰일을 당할 수 도 있다. 그게 인생이다. 태어나면 누구에게나 주어진 고난, 역경, 불행 할당량을 피할 수는 없다. 힘든 상황을 이겨내고, 극복할 수 있는 것이 자존감, 멘탈, 습관, 행복, 자기계발 학습, 연습, 훈련이라는 것이다. 그래서 세계에서 리스크가 가장 적고 재테크 사기 피해를 예방하고 사기 피해를 당하더라도 빨리 극복할 수 있는 것이 자존감 재테크, 멘탈 재테크, 습관 재테크, 행복 재테크, 자기계발 재테크라고 말을 하는 것이다.

한번은 식(식물)테크, 꽃테크 하는 사람을 상담한 적이 있었다. 이런 저런 내용으로 상담을 하다가 자신이 식(식물)테크, 꽃테크를 처음 관리하는 상황에서 식물, 꽃이 겉보기는 이상이 없어 보이는 데 점점 시들어 간다는 것이다. 그러다 우연히 뿌리를 보게 되었는데 뿌리가 썩어가고 있었던 것을 알았다고 한다.

보이는 화려한 것에 집착을 하다 보니 정작 가장 중요한 뿌리가 죽어가고 있었는데 그 것을 뒤늦게 알았다는 것이다. 그 뒤로 어떤 일을 하더라도 겉모습보다는 뿌리(기본, 본질)에 집중을 한다고 한다.

식테크, 꽃테크 상담 사례처럼 90% 사람들이 유튜브, 대중매체, SNS, 주위 사람들에게 3혹을 당해서 돈, 한방, 대박이라는 겉모습에 집착하는 현실이다.

3혹 되지 않고 뿌리(재테크 기본, 재테크 본질)에 집중할 수 있게 하는 것이 자존감 재테크, 멘탈 재테크, 습관 재테크, 행복 재테크, 자기계발 재테크라는 것이다.

리더는 더더욱 모든 재테크의 기본, 본질인 자존감 재테크, 멘탈 재테크, 습관 재테크, 행복 재테크, 자기계발 재테크, 코칭 재테크를 학습, 연습, 훈련해야 한다.

재테크 사기꾼만 조심한다고 되는 게 아니다. 도움이 될 거 같은 재테크 안목, 리스크가 적은 재테크를 보는 안목, 사기꾼인지 아닌지 보는 안목이 없는데 어떻게 새로운 사람들과 관계를 맺어 재테크를 잘 할 것인가? 유명하고, 인지도 있는 사람들이 사기치는 세상이다 보니 더더욱 재테크가 힘든 것이다.

이런 현실이다 보니 제대로 된 전문가를 찾기가 쉽지 않기에 코칭 받는 사람들을 필자가 세계 최강 책임감인 150년 a/s, 관리, 피드백을 해준다는 것이다. 당신이 그토록 찾던 방탄 리더 재테크 멘토가 되어 준다는 것이다.

방탄 리더 재테크 잘하는 첫 번째 방법!
"지인 5명 중 사기꾼이 1명 있다."라는 태도로 긴장하고 늘 경계하자. 아무나 만나지 말라. 철저하게 도움이 되는 사람을 만나라! 나에게 부정적인 영향을 주는 사람이 아닌 긍정적이고 도움이 되고 나를 성장 시켜주는 사람을 철저하게 만나라. 그러기 위해서는 사람을 보는 안목 학습, 연습, 훈련을 해라.

방탄 리더 재테크 잘하는 두 번째 방법!
150년 a/s, 관리, 피드백을 해주는 전문가를 찾자!

방탄 리더 재테크 잘하는 세 번째 방법!
www.방탄리더사관학교.ccom 에서 코칭을 받자!
재테크도 스펙이다! 시스템 안에서 학습, 연습, 훈련해야 된다.

방탄 리더 재테크! 7단계 시스템! 1.리더 재테크 본질, 2.리더 자존감 재테크, 3.리더 멘탈 재테크, 4.리더 습관 재테크, 5.리더 행복 재테크, 6.리더 자기개발 재테크, 7.리더 코칭 재테크.

어떤 사람도 말하지 못한 방탄 리더 재테크!
어떤 영상에서도 말하지 못한 방탄 리더 재테크!
어떤 책에서도 말하지 못한 방탄 리더 재테크!

시작하자! 해보자! 해보자! 지금부터 해보자! 집중!

세계인구 80억 명 80억 개의 재테크
사람이 하는 모든 것은 재테크다!

은행테크, 부동산테크, 펀드테크, 가상화폐테크, 주식테크, 명품테크, 아트테크, 식(식물)테크, 사(사랑)테크, 부(부부사랑)테크, 인(인간관계테크, 건(건강)테크, 꾸(꾸준함)테크, 성(성실함)테크, 인(인성)테크, 견(강아지)테크, 효(효도)테크, 자(자녀)테크...

수많은 재테크 중에 리더는 모든 재테크의 기본, 본질인 리더십 테크, 자존감 재테크, 멘탈 재테크, 습관 재테크, 행복 재테크, 자기계발 재테크, 코칭 재테크를 가장 먼저 학습, 연습, 훈련해야 한다.

20,000명 심리 상담, 코칭으로
알게 된 사람들이 바라는
6가지 JOB 시스템
커피숍에서 지인과 대화 중에도 돈이 입금되는 시스템?
자고 있는데 돈을 버는 시스템?
여행 중에도 돈이 입금되는 시스템?
사무실, 직원이 필요 없는 시스템?
건물주처럼 월세가 입금되는 시스템?
집에서 댕댕이와 휴식하고 있는데 돈이 입금되는 시스템?
직업계의 혁신!
6가지 시스템을 가능하게 하는 기술력!
방탄JOB기술력

평균 희망 은퇴 73세, 현실 은퇴 나이 49세!
100세 시대 언제까지 몸(노동)으로만
일해서 돈을 벌 것인가?

세상, 현실 기준에서 스펙, 돈, 인맥, 자산 등이 없어서 100세까지 노동을 해야 되고 몸까지 아프면 더 답이 없는 상황! 젊을 때는 100가지 중 99가지를 할 수 있지만 나이 들면 100가지 중 99가지를 할 수 없다. 3고 시대, AI 시대, 챗GPT 시대에 자신의 직업이 사라 질 수 있는 상황에서 어떻게 준비, 대비할 것인가?

방탄JOB기술력
선택이 아닌 필수!

한 분야 전문성으로 힘든 시대다. 이제는 포트폴리오 커리어 시대다. (포트폴리오 커리어: 한 분야 전문성 외 다수에 전문성이 있는 사람) 자신 경력을 왜 썩히고 있는가! 자신 경력을 활용해서 6가지 수입을 발생시킬 수 있는 방탄JOB기술력! 언제까지 몸(노동)으로 일할 것인가? 자신 경력이 일하게 하자! 자신 콘텐츠가 일하게 하자! 시스템이 일하게 하자!
직장은 자신 인생을 책임져 주지 않지만
방탄JOB기술력은 자신 인생을 책임져 준다.
직장은 자신을 배신하지만
방탄JOB기술력은 자신을 배신하지 않는다.
ONLY ONE
방탄JOB
기술력

방탄리더사관학교
BULLETPROOF LEADER MILITARY ACADEMY
리더는 누구나 되지만
방탄 리더는 아무나 될 수 없다!
BLMA

방탄자기계발사관학교
홈페이지 무인시스템
구독하기
방 탄
자기계발
사관학교
방탄자기계발사관학교
www.방탄자기계발사관학교.com
정예 방탄자기계발 전문가를 양성하는 사관학교
특허청 등록
최보규 자기계발코칭 창시자
등록 번호: 제 40-2072344 호
특허청 등록
최보규 리더동기부여 코칭전문가
등록 번호: 제 40-2128786호
방탄자기계발사관학교
아무나 방탄자기계발전문가가 될 수 있었다면 난 절대로 방탄자기계발사관학교를 선택하지 않았을 것이다.
Google 자기계발아마존
YouTube 방탄자기계발
NAVER 방탄자기계발사관학교
NAVER 최보규

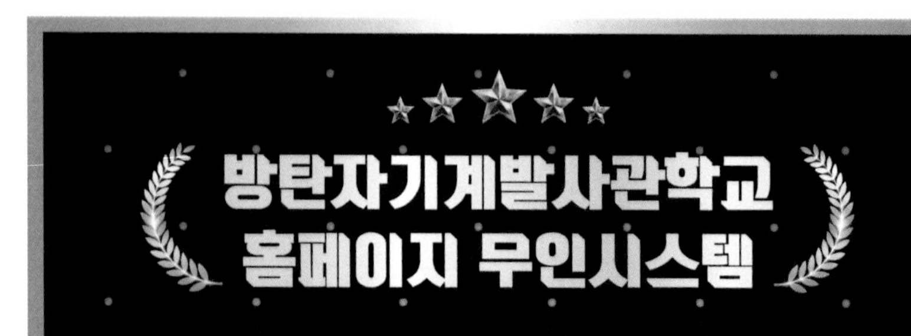

방탄자기계발사관학교 소개
1,000,000원
구매하기

PPT로 책 쓰기, 책 출간
200,000원
구매하기

자신 분야 6가지 수입을 창출 방법
200,000원
구매하기

방탄 사랑 사랑 사용 설명서 사랑도 스펙이다
200,000원
구매하기

Google 자기계발아마존 | YouTube 방탄자기계발 | NAVER 방탄자기계발사관학교 | NAVER 최보규

ONLY ONE
"80억 분의 1 검증된 전문가"
특허청 등록
최보규 자기계발코칭 창시자
등록 번호: 제 40-2072344 호
최보규 대표
상담, PT, 코칭, 강의, 컨설팅 문의
010-6578-8295
특허청 등록
최보규 리더동기부여 코칭전문가
등록 번호: 제 40-2128786 호
대한민국 강사 섭외 NO1 '강사야'
'강사야' "대표 일타 강사 최보규"
GANGSAYA 강사섭외
최보규
로그인 회원가입
전체분야 강사프로필 섭외문의 분야별특강 커뮤니티 추천강사
섭외문의무료등록
최보규강사
특허청 등록으로 검증된 강사!
방탄 동기부여/리더십/자기계발
동기부여/리더십/자기계발 업데이트!
저서 100권의 내공을 통한 세계 최초 1+4를 주는 가성비 강사!
(강의메세지+즐거움+스토리텔링+실천 사용 설명서 제공)
Google 자기계발아마존
YouTube 방탄자기계발
NAVER 강사야
NAVER 최보규

자기계발서 150권 출간으로
삼성(진정성, 전문성, 신뢰성)이 검증된 전문가
Google 자기계발아마존
YouTube 방탄자기계발
NAVER 방탄자기계발사관학교
NAVER 최보규

삼성(진정성, 전문성, 신뢰성)이
검증된 전문가
Google 자기계발아마존
YouTube 방탄자기계발
NAVER 방탄자기계발사관학교
NAVER 최보규
7G 직업
(출판사 대표, 작가, 심리 상담사, 코칭 전문가, 강사, 유튜버, 한집의 가장)
20,000명 심리 상담, 코칭 하면서 알게 된 것은
사람들 99%가 주치의처럼 늘 옆에서 걱정, 고민을
털어놓고 삶, 인생, 자신 분야, 자자자자멘습긍
(자존감, 자신감, 자기관리, 자기계발, 멘탈, 습관, 긍정)
피드백 받을 수 있는 주치의 같은 전문가를 바란다.

세계 최초
방탄자기계발 주치의
방탄자기계발 전문가
최보규 대표
www.방탄자기계발사관학교.com

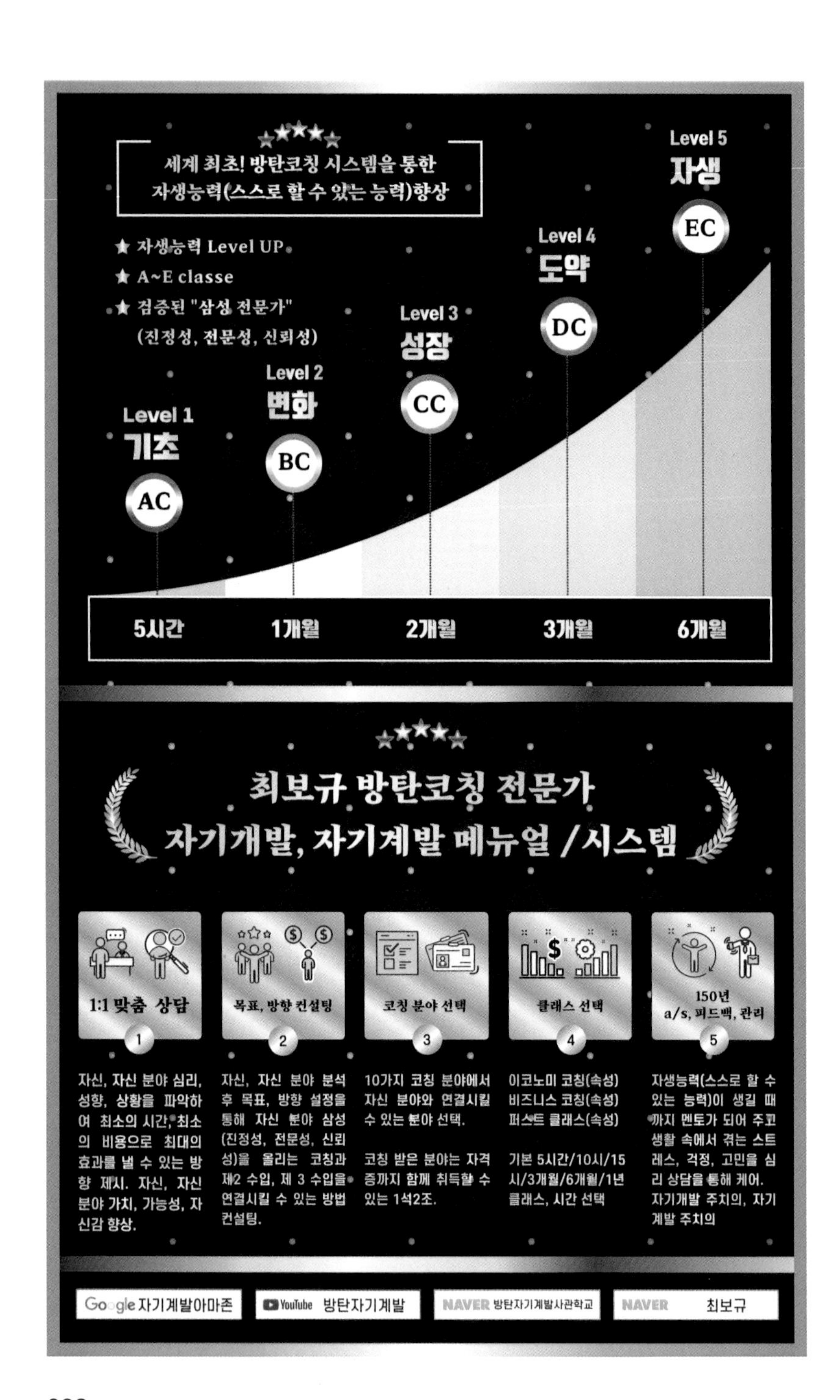

세계 최초! 방탄코칭 시스템을 통한
자생능력(스스로 할 수 있는 능력)향상
자생능력 Level UP
A~E classe
검증된 "삼성 전문가"
(진정성, 전문성, 신뢰성)
Level 1
기초
AC
Level 2
변화
BC
Level 3
성장
CC
Level 4
도약
DC
Level 5
자생
EC
5시간
1개월
2개월
3개월
6개월
최보규 방탄코칭 전문가
자기개발, 자기계발 메뉴얼 /시스템
1:1 맞춤 상담
1
목표, 방향 컨설팅
2
코칭 분야 선택
3
클래스 선택
4
150년
a/s, 피드백, 관리
5
자신, 자신 분야 심리, 성향, 상황을 파악하여 최소의 시간, 최소의 비용으로 최대의 효과를 낼 수 있는 방향 제시. 자신, 자신 분야 가치, 가능성, 자신감 향상.
자신, 자신 분야 분석 후 목표, 방향 설정을 통해 자신 분야 삼성(진정성, 전문성, 신뢰성)을 올리는 코칭과 제2 수입, 제 3 수입을 연결시킬 수 있는 방법 컨설팅.
10가지 코칭 분야에서 자신 분야와 연결시킬 수 있는 분야 선택.
코칭 받은 분야는 자격증까지 함께 취득할 수 있는 1석2조.
이코노미 코칭(속성)
비즈니스 코칭(속성)
퍼스트 클래스(속성)
기본 5시간/10시/15시/3개월/6개월/1년 클래스, 시간 선택
자생능력(스스로 할 수 있는 능력)이 생길 때까지 멘토가 되어 주고 생활 속에서 겪는 스트레스, 걱정, 고민을 심리 상담을 통해 케어. 자기개발 주치의, 자기계발 주치의
Google 자기계발아마존
YouTube 방탄자기계발
NAVER 방탄자기계발사관학교
NAVER 최보규

검증된 전문가 교육시스템

회원제를 통한 맞춤 학습, 연습, 훈련
오프라인 전문상담사가 검진 후 특별맞춤 학습, 연습, 훈련

검증된 강사코칭 전문가

세계 최초 강사 백과사전
강사 사용설명서를 만든 전문가!
150년 A/S, 관리,해주는 책임감!

검증된 책 쓰기 전문가 100권

행복히어로
나다운 강사 1, 2
나다운 방탄멘탈
나다운 방탄습관블록
나다운 방탄 카피 사전
나다운 방탄자존감 명언 I, II
방탄자기계발 사관학교
자기계발코칭전문가 1,2,3,4,5,6
나다운 방탄리더십 1,2,3,4,5
외 100권

검증된 자기계발 전문가

방탄행복 창시자!
방탄멘탈 창시자!
방탄습관 창시자!
방탄자존감 창시자!
방탄자기계발 창시자!
방탄강사 창시자!
방탄리더십 창시자!

검증된 상담 전문가

20,000명 심리 상담, 코칭 !
독학하기 힘든 자자자자멘습긍
(자존감, 자신감, 자기관리, 자기계발, 멘탈, 습관, 긍정)
1:1 케어까지 해주며 행복 주치의가 되어주는 전문가!

강력추천

이런 사람들 반드시 상담, 코칭 받으세요!

현재 상황에 가장 필요한 것을 상담 후 가장 효율적인 시스템을 적용합니다.

**변화, 성장, 배움, 행동
동기부여, 셀프케어**

1

지금처럼이 아니라 지금부터 다시 시작하고 때를 기다리는 사람이 아닌 때를 만들고 싶은 분

자신분야 전문성
(진정성, 전문성, 신뢰성)

2

경력은 스펙이 아니다! 자신 분야 차별화로 부케릭터를(부업)만들어 자신 몸값을 올리고 싶은 분

**자신분야 자동
시스템(돈) 연결**

3

움직이지 않아도 자동으로 돌아가는 돈 버는 시스템을 만들고 싶은 분

인고의 시간을 거쳐 쌓은 소중한 자신 분야 경력을
왜? 썩히고 있는가?
쌓은 경력으로 온라인 건물주가 될 수 있다?
자신 분야를 방탄자기계발과 연결 수입 창출!
자신 분야
방탄자기계발
몸값 상승
책 출간
(종이책, PDF)
(인세 유산)
멘토가 150년
A/S, 관리
방탄
동기부여
디지털콘텐츠
수입(100년)
불특정 다수와
비즈니스 연결
방탄
자기계발
온라인콘텐츠
수입(100년)
코칭 수입
(100년)
온라인 건물주
(월세, 연금성)
재능 마켓
수입(100년)

검증된 크몽 디지털콘텐츠
24시간 무인 시스템
kmong
어떤 전문가를 찾으시나요?
방탄book기술력창시자
전자책
PPT로 책 출간
6가지 수입 창출 책 출간
방탄book기술력창시자
PPT로 종이책 출간, 전자책 출간
100,000원
수입 창출 6가지 방법!
전자책 평생 소장하러 바로 가기 ⇒
NAVER PPT로종이책출간

해보자! 해보자!
자신 가능성을 믿고!
해보자!
해보자!
자신의
사과 씨, 도토리, 포도 씨 믿으세요!
사과 씨 안에 얼마나 많은 사과가 있는지 모른다!
도토리 안에 얼마나 많은 도토리가 있는지 모른다!
포도 씨 안에 얼마나 많은 포도가 있는지 모른다!

검증된 리더 강의 분야

1 방탄 리더 동기부여

사람을 움직이는 가장 강력한 동기부여는 "우리 리더는 내가 좋은 사람이 되고 싶도록 만들어"라는 마음을 들게 하여 행동하게 만드는 리더다!

2 나다운 방탄리더십

1명의 방탄리더가 10만 명을 변화시키고 먹여 살린다. 리더는 사라져도 방탄리더십은 1,000년 간다! 리더의 삼성(진정성, 전문성, 신뢰성)을 업그레이드!

Best 12

검증된 리더 강의 분야

3 방탄 리더 의무교육

직원은 5대 법정의무교육이 필수! 리더는 7대 의무교육이 필수! 5대 법정의무교육을 받지 않으면 벌금이지만 리더가 7대 의무교육을 받지 않으면 회사가 망한다!

4 방탄 리더 기본기

기본기를 지킨다고 리더가 되는 건 아니다. 단언컨대 사람들에게 존경받고 위대한 업적을 만드는 리더들은 기본기를 철저하게 지킨다.

검증된 리더 강의 분야

5 방탄 리더 태도

세상에서 가장 강력한 태도 스펙! 어떻게 학습, 연습, 훈련할 것인가?
Body(몸)태도, Head(머리)태도, Mind(마음)태도 320가지 학습, 연습, 훈련하는 방법 최초 공개!

6 방탄 리더 인재 양성

리더의 기본 스펙은 인재 양성이다. 인재는 오는 게 아니라 시스템으로 만들어지는 것이다. 리더가 인재 양성 매뉴얼, 시스템 구축은 선택이 아닌 필수다.

검증된 리더 강의 분야

<저자 최보규>

<저자 최보규>

7 방탄 리더 사명감

사명감은 스펙이다! 학습, 연습, 훈련으로 만들어 진다! 세상에 사명감 없는 사람은 없다! 다만 사명감 만드는 방법을 모를 뿐이다!

8 방탄 리더 식스팩

숨만 쉬어도 근손실이 되듯 숨만 쉬어도 리손실(리더십 손실)이 되기에 앞서가는 리더는 리더십 PT 받는다! 식스팩은 한달 지속 되지만 리더십 식스팩은 100년 지속 된다.

9 방탄 리더 감정컨트롤

세상에서 가장 무능한 리더는 감정에 따라 말투, 표정, 행동이 달라지는 사람이다.
방탄 리더 감정컨트롤, 스트레스 관리 7단계!

10 방탄 리더 스피치

입은 출력장치 말이 저장 되어 있는 Body(몸), Head(머리), Mind(마음) 스피치에 답이 있다. Body(몸) 스피치, Head(머리) 스피치, Mind(마음) 스피치 학습, 연습, 훈련!

Best 12

검증된 리더 강의 분야

11 방탄 리더 책쓰기

리더 자신 분야 삼성(진정성, 전문성, 신뢰성)을 올리는 최고의 자기계발은 책쓰기, 책 출간이다! 리더 은퇴 준비, 노후 준비까지 가능한 방탄 리더 책 쓰기!

12 방탄 리더 인간관계

좋은 리더가 되어 좋은 사람을 오게 하는 인간관계 CLASS 7. 100년 함께 하고 싶은 리더가 되기 위한 인간관계 CLASS 7.
삼성(진정성, 전문성, 신뢰성) 인간관계 CLASS 7.

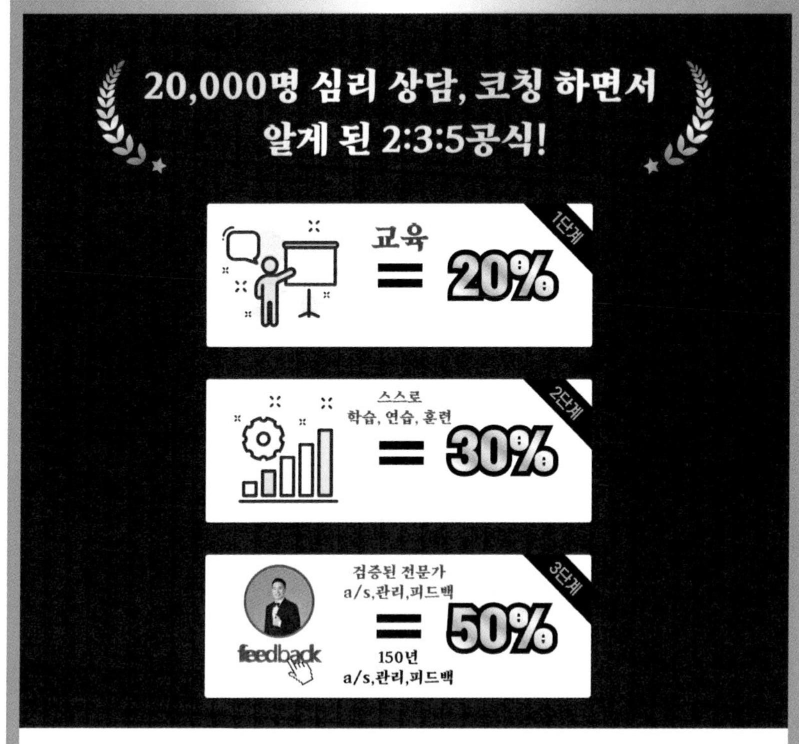

평균적으로 학습자들은 교육만 받으면 80% 효과를 보고 동기부여가 되어 행동으로 나올 것이라고 착각합니다.
그러다 보니 교육받는 동안 생각만큼, 돈을 지불한 만큼 자신 기준의 미치지 못하면 효과를 보지 못할 거라고 지레짐작으로 스스로가 한계를 만들어 버립니다. 그래서 행동으로 옮기지 못하는 것이 상황, 교육자가 아닌 자기 자신이라는 것을 모릅니다.

20,000명 심리 상담, 코칭, 리더 자기계발서 100권 출간, 리더 습관 320가지 만듦, 시행착오, 대가 지불, 인고의 시간을 통해 가장 효율적이며 효과적인 교육 시스템은 2:3:5라는 것을 알게 되었습니다.

교육 듣는 것은 20%밖에 되지 않습니다. 교육을 듣고 스스로가 생활 속에서 배웠던 것을 토대로 30% 학습, 연습, 훈련해야 합니다.
학습, 연습, 훈련한 것을 가장 중요한 50%인 검증된 전문가에게 꾸준히 a/s, 관리, 피드백을 받아야만 2:3:5공식 효과를 볼 수 있습니다.

1 방탄 동기부여

세상에 동기부여 못하는 사람은 없다. 다만 동기부여 잘하는 방법을 모를 뿐이다.
모든 분야에 접목이 가능한 방탄 동기부여! 6가지 수입까지 창출할 수 있는 방탄 동기부여!

2 방탄 자기계발

노오력 자기계발이 아닌 올바른 노력 방탄 자기계발을 통해 제2수입, 제3수입까지 올려 온라인 건물주가 될 수 있는 방법을 학습, 연습, 훈련한다.

3 방탄 멘탈

뭘 해도 욕먹는 시대! 대중매체, SNS, 주위 사람들... 자신 멘탈 배터리를 소모시키는 현실 속에서 자신 멘탈을 보호하기 위한 방탄멘탈 7단계 업데이트!

4 방탄 습관

습관, 성격, 스피치는 바꾸는 것이 아니라 쌓아 가는 것이다. 레고 블록처럼! 몸 습관 블록, 머리 습관 블록, 마음 습관 블록! 습관에 답이 있고 습관에 인생이 있다.

베스트셀러 일반 강의 분야

5 방탄 인간관계

인생에서 90%의 스트레스는 인간관계에서 온다. 인간관계 속 스트레스로부터 정신, 몸을 보호하는 방탄 인간관계. 4차 산업 시대에 맞는 4차 인간관계는 방탄 인간관계로 업데이트!

6 방탄 소통

소통에 답이 있는가? 정답은 답이 아니다. 해결책도 답이 아니다. 공감만이 답이다.
방탄 소통, 방탄 공감을 하기 위한 학습, 연습, 훈련!

7 방탄 행복

대한민국 행복 꼴찌! 대한민국 행복이 위험하다. 자신 행복이 위험하다. 당신이 행복하지 않은 이유는 단언컨대 행복을 학습, 연습, 훈련하지 않아서다!

8 방탄 자존감

사랑, 연예, 인간관계, 성공, 꿈, 이루고 싶은 것, 목표, 사람이 하는 모든 것들의 결과물, 행동하는 모든 것은 행복하기 위해서이고 행복의 본질은 자존감이다.

베스트셀러 일반 강의 분야

9 방탄 케어

아픈 만큼 성숙해진다? 거짓말에 속지 말자! 아픈 만큼 성숙해지려면 극복을 해야 한다. 방탄 케어로 마음 상처 극복 학습, 연습, 훈련!

10 방탄 스토리텔링

20,000명 심리 상담, 코칭 하면서 엄선 한1,000개의 스토리텔링(스토리텔링 300가지, 이미지 스토리텔링 700개)을 통해 자신, 자신 분야 터닝포인트!

베스트셀러 일반 강의 분야

11 방탄 강사 1, 2

1~3년 차는 강의, 강사를 다듬을 수 있는 도구. 3~5년 차는 강의, 강사 자신의 전문 분야 방향을 잡을 수 있는 GPS가 될 것이다. 5~10년 차는 강의, 강사 일에 초심을 되새기고 사명감을 만들 수 있는 마지막 퍼즐 한 조각이 되어 줄 것이다. 10~130년 차는 강사의 꽃인 강사 양성 교육을 할 수 매뉴얼, 시스템이 되어 줄 것이다.

12 방탄 책쓰기

출판계의 혁신! 출판계의 스티브 잡스! 90% 작가들이 책 쓰기, 출간만 하고 끝난다. 하지만 방탄 BOOK은 자신 분야와 연결하여 6가지 수입을 창출하는 책 쓰기, 출간을 한다.

명품 자기계발
Best 6
명품 동기부여
검증된 방탄 PT 분야
동기부여 방탄 PT
1
BEST Seller
자격증 발급기관
<저자 최보규>
동기부여코칭전문가
방탄자기계발사관학교
압도적 차이를 만드는 방탄 PT!
앞서가는 사람은 방탄 PT 받는다!
7대 동기부여 PT
비전 동기부여 PT
열정 동기부여 PT
목표 동기부여 PT
자존감 동기부여 PT
자신감 동기부여 PT
변화 동기부여 PT
성장 동기부여 PT
멘탈 동기부여 PT
습관 동기부여 PT
긍정 동기부여 PT
인간관계 동기부여 PT
행복 동기부여 PT
스피치 동기부여 PT
love 동기부여 PT
Smile 동기부여 PT

명품 자기계발
Best 6
명품 동기부여
검증된 방탄 PT 분야
리더 인간관계 PT
2
BEST Seller
자격증 발급기관
리더의 방탄 인간관계 1
<저자 최보규>
자기계발코칭전문가
방탄자기계발사관학교
압도적 차이를 만드는 방탄 PT!
앞서가는 사람은 방탄 PT 받는다!
7대 인간관계 PT
인간관계 기본기 PT
인간관계 태도 PT
인간관계 사명감 PT
인간관계 자존감 PT
인간관계 자신감 PT
인간관계 자기관리 PT
인간관계 자기계발 PT
인간관계 멘탈 PT
인간관계 습관 PT
인간관계 긍정 PT
인간관계 감정컨트롤 PT
인간관계 행복 PT
인간관계 스피치 PT
인간관계 love PT
인간관계 Smile PT

Best 6

검증된 방탄 PT 분야

방탄리더십 PT

3

자격증 발급기관

<저자 최보규>

앞도적 차이를 만드는 방탄 PT!
앞서가는 리더는 방탄 PT 받는다!

- ☑ 방탄 리더십 PT
- ☑ 리더 동기부여 PT
- ☑ 리더 자기계발 PT
- ☑ 삼성PT
  (진정성, 전문성, 신뢰성)
- ☑ 리더 기본기 PT
- ☑ 리더 태도 PT
- ☑ 리더 사명감 PT

- ☑ 리더 자존감 PT
- ☑ 리더 멘탈 PT
- ☑ 리더 습관 PT
- ☑ 리더 행복 PT
- ☑ 리더 상담기법 PT
- ☑ 리더 회복탄력성 PT
- ☑ 리더 감정컨트롤 PT
- ☑ 리더 인재양성 PT

명품 자기계발
Best 6
명품 동기부여
검증된 방탄 PT 분야
자기계발 방탄 PT
4
BEST Seller
자격증 발급기관
자기계발 코칭전문가 Ⅱ
<저자 최보규>
자기계발코칭전문가
방탄자기계발사관학교
압도적 차이를 만드는 방탄 PT!
앞서가는 리더는 방탄 PT 받는다!
7대 자기계발 PT
방탄 기본기 PT
방탄 태도 PT
방탄 사명감 PT
방탄 자존감 PT
방탄 자신감 PT
방탄 자기관리 PT
방탄 자기계발 PT
방탄 멘탈 PT
방탄 습관 PT
방탄 긍정 PT
방탄 인간관계 PT
방탄 행복 PT
방탄 스피치 PT
방탄 love PT
방탄 Smile PT

검증된 방탄 PT 분야

방탄 강사 방탄 PT

5

자격증 발급기관

<저자 최보규>

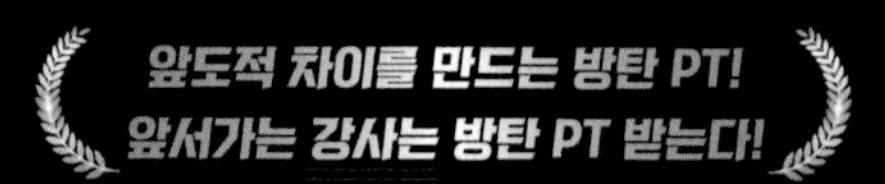

- ☑ 강사 7대 의무교육 PT
- ☑ 강사 인성, 매너 PT
- ☑ 강사 품위유지의무 PT
- ☑ 강사1~3년차 PT
- ☑ 강사 3~10년차 PT
- ☑ 강사 10~20년차 PT
- ☑ 강사료 UP PT
- ☑ 비수기 극복 PT

- ☑ 강사 스킬UP PT
- ☑ 강사 SPOT 기법 PT
- ☑ 강사 스토리텔링 기법 PT
- ☑ 강사, 작가 트레이닝 PT
- ☑ 강사 양성 매뉴얼 제작 PT
- ☑ 강의 분야 개발 PT
- ☑ 강사 코칭 시스템 제작 PT
- ☑ 강의 영상 제작 PT

명품 자기계발
Best 6
명품 동기부여
검증된 방탄 PT 분야
책 쓰기, 출간 방탄 PT
6
BEST Seller
자격증 발급기관
방탄 리더 책쓰기 1
<저자 최보규>
책쓰기코칭전문가
방탄자기계발사관학교
압도적 차이를 만드는 방탄 PT!
앞서가는 리더는 방탄 PT 받는다!
작가 7대 의무교육 PT
책 쓰기 동기부여 PT
책 출간 동기부여 PT
책 쓰기 10G PT
리더 책 쓰기 PT
강사 책 쓰기 PT
일반인 책 쓰기 PT
6가지 수입 창출 PT
온라인 건물주 책 출간 PT
작가 품위유지의무 PT
강사 되기 위한 책 출간 PT
강의 교안으로 책 출간 PT
출간한 책으로 교안 작업 PT
출간한 책으로 영상제작 PT
100년 지속 할 수 있는 기술력을 배우는 책 쓰기, 출간

★★★★★ 차별이 아닌 초월 시스템 ★★★★★

타사와 비교불가 초월 혜택!
자신 분야 온라인 건물주가 되어 100년 수입 창출!

Google 자기계발아마존 | YouTube 방탄자기계발 | NAVER 방탄동기부여 | NAVER 최보규

이코노미 PT

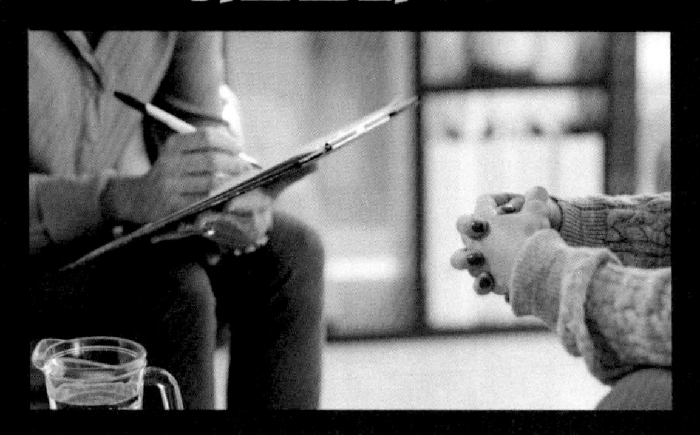

기본 5H : 500,000원

CHECK POINT

- 기본 1회(1일=5H)
- 6가지 수입 창출 시스템 매뉴얼 설명
- 150년 A/S

★★★★★ 차별이 아닌 초월 혜택 ★★★★★

Google 자기계발아마존 | YouTube 방탄자기계발 | NAVER 방탄동기부여 | NAVER 최보규

이코노미 PT

기본 5H : 500,000원

- ☑ 150년 A/S (세계 최초)
- ☑ 마스터한 분야 자격증 1종 취득
- ☑ 방탄자기계발사관학교 강사 위촉
- ☑ 방탄자기계발사관학교 마스터 위촉
- ☑ 비지니스 PT 10% 할인 (10만원 상당)
- ☑ 퍼스트클래스 PT 10% 할인 (30만원 상당)
- ☑ 마스터한 분야 실전 2시간 강의 교안 제공. (강사료 200만원 상당)

★★★★★ 차별이 아닌 초월 시스템 ★★★★★

타사와 비교불가 초월 혜택!
자신 분야 온라인 건물주가 되어 100년 수입 창출!

Google 자기계발아마존 | YouTube 방탄자기계발 | NAVER 강사야 | NAVER 최보규

비지니스 PT

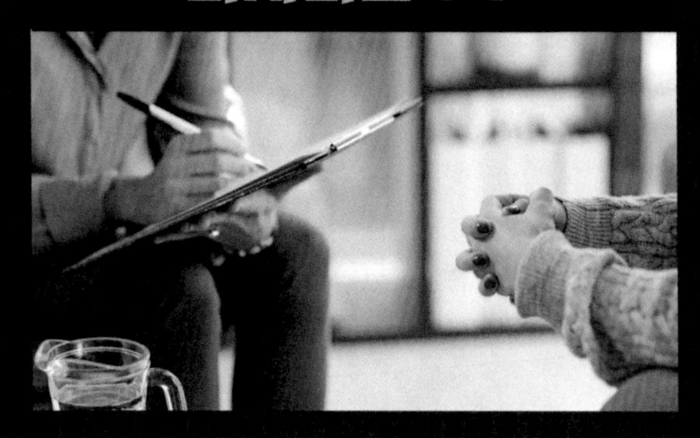

기본 5H : 500,000원

CHECK POINT

- 기본 1회(2~3일=10H)
- 6가지 수입 창출 시스템 실전 훈련
- 150년 A/S, 피드백

★★★★★ **차별이 아닌 초월 혜택** ★★★★★

Google 자기계발아마존 | YouTube 방탄자기계발 | NAVER 방탄동기부여 | NAVER 최보규

비지니스 PT

기본 10H : 1,000,000원

- ☑ 150년 A/S, 피드백
- ☑ 마스터한 분야 자격증 1종 취득
- ☑ 방탄자기계발사관학교 전임 강사 위촉
- ☑ 방탄자기계발사관학교 전임 마스터 위촉
- ☑ 퍼스트클래스 PT 10% 할인 (30만원 상당)
- ☑ 강사 맞춤 트레이닝 비대면 1회 제공 (50만원 상당)
- ☑ 마스터한 분야 실전 2시간 강의 교안 제공, 1:1 맞춤 교안 설명 (강사료 200만원 / 1:1 맞춤 100만원 상당)

★★★★★ 차별이 아닌 초월 시스템 ★★★★★

타사와 비교불가 초월 혜택!
자신 분야 온라인 건물주가 되어 100년 수입 창출!

Google 자기계발아마존 | YouTube 방탄자기계발 | NAVER 강사야 | NAVER 최보규

기본 15H : 3,000,000원~

CHECK POINT

- 기본 1회(15H) / (2회 ~ 5회 선택 사항)
- 6가지 수입 창출 자동 시스템 구축
- 150년 A/S, 피드백, VIP맞춤 관리

★★★★★ **차별이 아닌 초월 혜택** ★★★★★

Google 자기계발아마존 | YouTube 방탄자기계발 | NAVER 방탄동기부여 | NAVER 최보규

퍼스트클래스 PT

기본 15H : 3,000,000원~

- ☑ 150년 A/S, 피드백, VIP맞춤 관리
- ☑ 자격증 3종 취득 (150만원 상당)
- ☑ 방탄자기계발사관학교 지회장 위촉
- ☑ 종이책, 전자책 출간 후 네이버 인물 등록
- ☑ 20H, 30H, 40H, 50H PT 20% 할인
- ☑ 강사 맞춤 트레이닝 대면 1회 제공 (50만원 상당)
- ☑ 프로필 유튜브 홍보 영상 제작 (100만원 상당)
- ☑ 마스터한 분야 풀 패키지 (교안 제공, 1:1 맞춤 교안 설명, 청강 1회 제공) (강사료 200만원 / 1:1 맞춤 100만원 / 청강 1회 200만원 상당)

명품 자기계발
특허청 등록
최보규 자기계발코칭 창시자
등록 번호: 제 40-2072344 호
명품 동기부여
차별이 아닌 초월 시스템
타사와 비교불가 초월 혜택!
자신 분야 온라인 건물주가 되어 100년 수입 창출!
Google 자기계발아마존
YouTube 방탄자기계발
NAVER 방탄book
NAVER 최보규
방탄book기술력 전문가 과정 속성 PT
방 탄
book 기술력
전문가
기본 30H : 5,000,000원~
CHECK POINT
기본 1회(5H) / (5회 ~ 10회 선택 사항)
6가지 수입 창출 자동 시스템 구축
150년 A/S, 피드백, VIP맞춤 관리

특허청 등록
최보규 자기계발코칭 창시자
등록 번호: 제 40-2072344 호
명품 자기계발
명품 동기부여
차별이 아닌 초월 혜택
Google 자기계발아마존
YouTube 방탄자기계발
NAVER 방탄book
NAVER 최보규
방탄book기술력 전문가 과정 속성 PT
기본 30H : 5,000,000원~
150년 A/S, 피드백, VIP맞춤 관리
자격증 5종 취득 (250만원 상당)
방탄자기계발사관학교 지회장 위촉
종이책, 전자책 출간 후 네이버 인물 등록
20H, 30H, 40H, 50H PT 20% 할인
강사 맞춤 트레이닝 대면 3회 제공 (150만원 상당) / 프로필 유튜브 홍보 영상 제작 (100만원 상당)
방탄book기술력 코칭 전문가 MOU
마스터한 분야 풀 패키지 (교안 제공, 1:1 맞춤 교안 설명, 청강 1회 제공) (강사료 200만원 / 1:1 맞춤 100만원 / 청강 1회 200만원 상당)

명품 자기계발
특허청 등록
최보규 자기계발코칭 창시자
등록 번호: 제 40-2072344 호
명품 동기부여
차별이 아닌 초월 시스템
타사와 비교불가 초월 혜택!
자신 분야 온라인 건물주가 되어 100년 수입 창출!
Google 자기계발아마존
YouTube 방탄자기계발
NAVER 방탄book
NAVER 최보규
방탄book기술력 전문가 과정 6개월 PT
방탄
book 기술력
전문가
기본 30H : 10,000,000원~
CHECK POINT
기본 1회(5H) / (5회 ~ 10회 선택 사항)
6가지 수입 창출 자동 시스템 구축
150년 A/S, 피드백, VIP맞춤 관리

특허청 등록
최보규 자기계발코칭 창시자
등록 번호: 제 40-2072344 호
명품 자기계발
명품 동기부여
차별이 아닌 초월 혜택
Google 자기계발아마존
YouTube 방탄자기계발
NAVER 방탄book
NAVER 최보규
방탄book기술력 전문가 과정 6개월 PT
기본 30H : 10,000,000원~
150년 A/S, 피드백, VIP맞춤 관리
자격증 5종 취득 (250만원 상당)
방탄자기계발사관학교 지회장 위촉
종이책, 전자책 출간 후 네이버 인물 등록
20H, 30H, 40H, 50H PT 20% 할인
강사 맞춤 트레이닝 대면 3회 제공 (150만원 상당) / 프로필 유튜브 홍보 영상 제작 (100만원 상당)
방탄book기술력 코칭 전문가 MOU
마스터한 분야 풀 패키지 (교안 제공, 1:1 맞춤 교안 설명, 청강 1회 제공) (강사료 200만원 / 1:1 맞춤 100만원 / 청강 1회 200만원 상당)

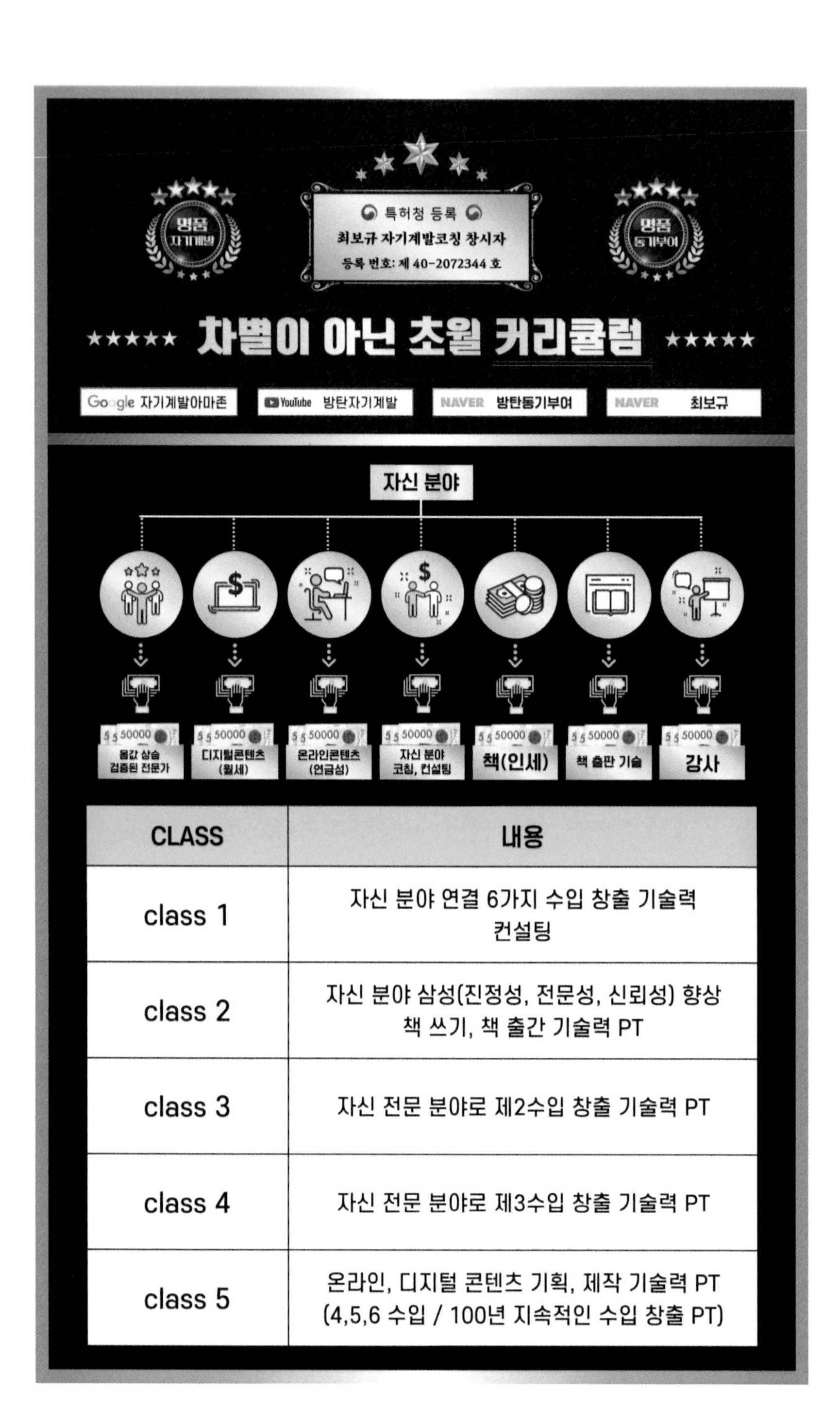

CLASS	내용
class 1	자신 분야 연결 6가지 수입 창출 기술력 컨설팅
class 2	자신 분야 삼성(진정성, 전문성, 신뢰성) 향상 책 쓰기, 책 출간 기술력 PT
class 3	자신 전문 분야로 제2수입 창출 기술력 PT
class 4	자신 전문 분야로 제3수입 창출 기술력 PT
class 5	온라인, 디지털 콘텐츠 기획, 제작 기술력 PT (4,5,6 수입 / 100년 지속적인 수입 창출 PT)

최보규 방탄동기부여 전문가
검증된 PT, 강의, 맞춤 코칭, 컨설팅
특허청 등록
최보규 자기계발코칭 창시자
등록 번호: 제 40-2072344 호
최보규 대표
010-6578-8295
특허청 등록
최보규 리더동기부여 코칭전문가
등록 번호: 제 40-2128786 호
방탄자기계발사관학교는 국가등록 민간자격증 발급 기관! 명품 인재 양성 기관!
리더십코칭전문가
동기부여코칭전문가
자기계발코칭전문가
강사코칭전문가
책쓰기코칭전문가
리더 분야
동기부여 분야
자기계발 분야
강의, 강사 분야
책쓰기, 책출간 분야
<저자 최보규>
<저자 최보규>
<저자 최보규>
<저자 최보규>
<저자 최보규>
방탄 리더십
리더 7대의무교육
리더 품위유지의무
리더 은퇴, 재테크
리더 동기부여
리더 스피치
리더 사명감, 인성
리더 기본기, 태도
리더 자존감, 멘탈
리더 습관, 행복
리더 인간관계
인재 양성 매뉴얼
리더 감정컨트롤
리더 스트레스관리
리더 라포형성기법
리더 상담기법
리더 코칭기법
리더 스토리텔링
7대 동기부여
변화,성장동기부여
비전 동기부여
열정 동기부여
사원 동기부여
임원진 동기부여
직급별 동기부여
사랑 동기부여
자존감 동기부여
자신감 동기부여
자기관리 동기부여
자기계발 동기부여
멘탈 동기부여
습관 동기부여
긍정 동기부여
인간관계 동기부여
인재양성 동기부여
행복 동기부여
7대 자기계발
변화,성장자기계발
비전 자기계발
열정 자기계발
사원 자기계발
임원진 자기계발
직급별 자기계발
사랑 자기계발
자존감 자기계발
자신감 자기계발
자기관리 자기계발
자기계발 자기계발
멘탈 자기계발
습관 자기계발
긍정 자기계발
인간관계 자기계발
인재양성 자기계발
행복 자기계발
강사 7대 의무교육
강사 인성, 매너
강사 품위유지의무
강사1~3년 차
강사료 올리기 위한 준비, 스펙 쌓기.
강사4~10년 차
강사료 올리기 의한 준비, 스펙 쌓기.
강사10~20년 차
강사료 올리기 위한 준비, 스펙 쌓기.
강사 스킬UP
강사 트레이닝
강의 스토리텔링 기법
강의 SPOT 기법
강사 양성 매뉴얼
강사 양성 시스템
책 쓰기 동기부여
책 출간 동기부여
작가 품위유지의무
책 쓰기, 책 출간 10G 매뉴얼, 시스템.
100권 출간으로 월세, 연금성 수입 창출전수.
강의 교안으로 책 쓰고 책 출간.
출간한 책으로 강의 교안 작업.
출간한 책으로 온라인, 디지털 콘텐츠 제작.
6가지 수입을 창출 하는 책 쓰기, 책 출간.
100년 지속 할 수 있는 기술력을 배우는 책 쓰기, 책 출간.
Google 자기계발아마존
YouTube 방탄자기계발
NAVER 방탄자기계발사관학교
NAVER 최보규

명품 자기계발
방탄 동기부여
명품 동기부여
방탄동기부여 전문가
www.방탄자기계발사관학교.com
최보규 대표
상담, 코칭, 강의, 컨설팅 문의
010-6578-8295
어제의 나는 잊어라!
살아온 날로 살아갈 날단정 짓지 말자!
자신을 못 믿겠다면 자신을 믿어주는
최보규 방탄동기부여 전문가를 믿고 시작합시다!
세상, 현실아 덤벼라!
몸, 머리, 마음을
강하게 해드립니다.!
Google 자기계발아마존
YouTube 방탄자기계발
NAVER 방탄동기부여
NAVER 최보규

◈ 참고문헌, 출처

《부하직원이 말하지 않는 31가지 진실》 박태현, 책비, 2021

<브릿지경제>

<www.lgeri.com 정영철 연구원>

<참사람, 오스틀로이드 부족의 이야기>

<유튜브 열정의 기름붓기>

《참 행복한 세상》 한상현, 이가출판사, 2007

《부자의 사고 빈자의 사고》 이구치 아키라, 한스미디어, 2015

《통찰의 기술》 최윤식, 김영상, 2019

<유튜브 북올림>

<열정에 기름 붓기>

<유튜브 Demirören Haber Ajansı>

《300만 원 동기부여 강의》 최보규, 부크크, 2023

《1조 리더십 강의》 최보규, 부크크, 2023

《방탄 리더 동기부여》 최보규, 부크크, 2023

<네이버 블로그 자연주의 코코>

<어쩌다 어른 신중권 변호사>

<사피엔스 스튜디오>

《KBS1 시사직격》

<SBS 뉴스 후스토리>

《사기 공화국에서 살아남기》 김주덕, 가야북스, 2007

방탄리더사관학교 6

(방탄 리더 인재 양성 사관학교)

발 행 | 2024년 04월 25일
저 자 | 최보규, 서윤희
편 집 | 최보규, 서윤희
디자인 | 최보규, 서윤희
마케팅 | 최보규
펴낸이 | 한건희
펴낸곳 | 주식회사 부크크
출판사등록 | 2014.07.15.(제2014-16호)
주 소 | 서울특별시 금천구 가산디지털1로 119 SK트윈타워 A동 305호
전 화 | 1670-8316
이메일 | info@bookk.co.kr

ISBN | 979-11-410-8157-7

www.bookk.co.kr